OBRA DRAMÁTICA DE GARCÍA LORCA

Estudio de su configuración

CEDRIC BUSETTE
Queens College, City University of New York

OBRA DRAMÁTICA
DE
GARCÍA LORCA

ESTUDIO DE SU CONFIGURACIÓN

Depósito legal: M.—13903-1971

Printed in Spain

EOSGRAF, S. A. - Dolores, 9. - Madrid-20

A mi querida esposa Millicent

RECONOCIMIENTO

Quiero expresar mi pleno agradecimiento al doctor Manuel H. Guerra, que ha contribuido tanto al desarrollo de esta obra por sus perspicaces sugerencias; al doctor Everett W. Hesse y al doctor Herbert Stahl, que también me han ayudado por haber leído con simpatía y esmero el manuscrito, y al doctor M. J. Benardete, que por tantos años me ha proporcionado el apoyo espiritual y que también ha ofrecido sugerencias de índole fundamental en la concepción de este estudio.

EL AUTOR

CAPÍTULO I

INTRODUCCIÓN

LORCA Y LA TRADICIÓN ESPAÑOLA

Federico García Lorca, por lo que se refiere a sus dramas rurales, está completamente imbuido de la tradición dramática española, sea deliberada o inconscientemente. Jacinto Benavente, su inmediato predecesor de la Generación del 98, también escribió obras rurales, como *Señora ama* y *La malquerida*. El Siglo de Oro del teatro español presenta un repertorio de obras de ambiente campesino en los tres grandes representantes peninsulares de este período: Lope de Vega, Calderón de la Barca y Tirso de Molina. El estudio de una selección de obras de los autores mencionados mostrará los puntos que García Lorca tiene en común con ellos y lo difícil que le resultaba trabajar fuera de los confines de sus tradiciones nacionales, a pesar de la plétora de ideas cosmopolitas que tan extendidas estaban en su tiempo y de la relativa facilidad de comunicaciones del primer tercio del siglo xx.

En *Peribáñez y el comendador de Ocaña,* de Lope de Vega [1], el clásico triángulo amoroso constituye la base de la obra. Peribáñez está casado con Casilda. El tercer miembro del triángulo es el comendador, que se aprovecha de la influencia de su cargo para seducir a Casilda. En la obra de García Lorca, este factor está presente, junto con el tema del honor, que tanto prevalecía en el teatro del Siglo de Oro. Peribáñez y Casilda vieron

---

[1] Lope Félix de Vega Carpio, *Peribáñez y el comendador de Ocaña,* revisada por Adolfo Bonilla y San Martín (Madrid: Ruiz Hermanos Editores, 1916).

comprometido su honor, y aquél debía salvar el de ambos, matando al comendador. Este elemento también tiene un importante papel en el teatro de García Lorca. En *Peribáñez,* el rey reconoce que éste tiene que salvar su honor, y él mismo apoya la muerte del comendador a manos de Peribáñez y le recompensa por su valor e integridad. De este modo, el bien triunfa; el culpable recibe su castigo, y el rey es el defensor de la justicia. Lope presenta el enigma de la obra con gran claridad. Nunca hay tensión ni introspección, y existen escasas dudas sobre el triunfo final de la justicia.

El uso de la canción popular para narrar un incidente de las vidas de los personajes, o como dispositivo dramático (para informar a Peribáñez de que el comendador ha tratado de seducir a Casilda), también está presente en el teatro de Lorca.

En *Fuenteovejuna* [2], el problema es esencialmente el mismo. Una vez más, aparece el triángulo: Laurencia y Frondoso, que se casan, y el comendador, que trata de violar a Laurencia. De algún modo, la obra amplía el problema. El comendador ha seducido a muchas mujeres en el pueblo y, además, ha cometido los abusos más extremos con los habitantes. Nuevamente aparece el problema del honor: el de Laurencia y Frondoso. Queda vengado cuando el pueblo en pleno ataca y mata al comendador. El rey, como fuente de toda justicia, no puede condenar a los vecinos cuando se entera de los abusos del comendador y de la solidaridad de los campesinos. El problema está claro también en este caso. Además, el pueblo entero se levanta contra un individuo, el comendador, que representa el mal. El culpable es castigado y el bien triunfa.

Calderón [3], en *El alcalde de Zalamea,* presenta un problema similar. Se sugiere el triángulo: Mendo ama a Isabel; el capitán la viola. El honor es el tema central del drama. Isabel quiere que la maten para lavar la mancha de la deshonra. Juan Crespo, su hermano, está a punto de quitarle la vida en una ocasión porque ella no puede vivir deshonrada. Su padre, Pedro Crespo, quiere matar también al capitán. Más tarde se sabe que

[2] Lope Félix de Vega Carpio, *Fuenteovejuna* (Buenos Aires: Editorial Huemul, 1963).
[3] Pedro Calderón de la Barca, *El alcalde de Zalamea* (Madrid: Talleres Gráficos Escelicer, 1959).

Juan Crespo lo ha herido. Pedro Crespo, el padre de Isabel, trata de salvar el honor de su hija suplicando al capitán que se case con ella. Éste rehúsa y es arrestado. Se le condena a ser decapitado, con la sanción del rey. Por tanto, una vez más, hay una mujer inocente cuyo honor debe salvarse. El culpable recibe su castigo, y el rey está del lado de la justicia.

Tirso [4], en *La Dama del Olivar,* utiliza el clásico triángulo con mayor complejidad: Maroto debe casarse con Laurencia, pero Guillén la seduce. Laurencia está celosa de Isabel, que se encontraba en el olivar con Guillén. Además, éste debe casarse con Petronila. Guillén hace raptar a Laurencia ante los ojos de su prometida. Tirso presenta esta situación con fuerza cómica, y sus mujeres son más convincentes. Laurencia estimula los avances de Guillén. Petronila, que quiere ser vengada, pide a su hermano Gastón que sea indulgente con Guillén, porque le ama. Guillén y Petronila se casan, con lo que el honor de ésta queda salvado. Laurencia, en forma cómica, salva también su honor, colgando a Maroto de un árbol para obligarle a desposarla. Lo sobrenatural se introduce en la obra como una especie de *deus ex machina:* se aparece la Virgen María, *La Dama del Olivar,* y todos se unen reverenciándola. De este modo, a través de la devoción, todos quedan limpios.

Los cuatro dramas del Siglo de Oro que acabamos de comentar hacen uso de disfraces, artimañas y otros dispositivos artificiosos para facilitar el manejo de la trama. El auditorio siempre ve con claridad lo que ocurre y lo que los personajes están pensando. Sus ideas siempre están de acuerdo con las costumbres del orden social existente. Como se dijo anteriormente, Lorca comparte con estos dramaturgos del Siglo de Oro los temas del amor (presentado en términos del triángulo clásico), el honor y, en el caso de Lope, la canción popular. Al igual que las de Tirso, las mujeres de Lorca no son totalmente inocentes, como las de Lope y Calderón.

Sin duda, Lorca estaba muy familiarizado con el teatro del Siglo de Oro y de otros importantes dramaturgos españoles anteriores a él. Sus actividades con La Barraca lo demuestran

---

[4] Tirso de Molina, *La Dama del Olivar,* «Obras dramáticas completas», revisada por Blanca de los Ríos (Madrid: Aguilar, 1946), tomo I, pp. 1.027-1.092.

claramente[5]. María Teresa Babín[6] ha identificado el acto III, escena I, de *Los amantes de Teruel*[7] como la fuente del acto II, escena I, de *Bodas de sangre*. Estamos de acuerdo en que el parecido entre ambas escenas es sorprendente. En el teatro de Lorca, sin embargo, existe una serie de elementos nuevos, sobre los que volveremos más adelante, tras nuestro comentario de Benavente.

Benavente, el principal dramaturgo de la generación anterior a Lorca, proporcionó a nuestro autor muchos ejemplos de dramas rurales. Lorca, por tanto, difícilmente podría ignorar este tipo de teatro como medio de expresión. En *Señora ama*[8], Benavente también hace uso del triángulo: Feliciano y Dominica están casados, pero aquél tiene fama de seducir a todas las mujeres de los alrededores. Trata de engañar a Dacia, y su mujer lo descubre. María Juana, casada con su hermano José, está enamorada de él. Benavente da un nuevo giro a la situación. Dominica le da un valor especial al hecho de que muchas mujeres estén enamoradas de su marido. La acción en el teatro de Benavente está situada dentro de un contexto de modales y costumbres populares y va saliendo lentamente del medio social. La acción llega al punto culminante hacia el final del drama, y el enfoque se estrecha sobre el triángulo. Sin embargo, termina felizmente. Dominica descubre que no había nada entre Feliciano y María Juana y que José no hirió a Feliciano por celos, sino que sus heridas eran el resultado de un accidente. Dominica, que no ha tenido hijos y cuyo instinto maternal se concentra principalmente en sus cuidados por los niños de la servidumbre (de quienes se afirma que son los hijos de su propio esposo), se da cuenta de que está embarazada. De este modo, la obra termina felizmente con una nota de esperanza. Dominica y José no tienen deshonra que vengar. Hasta

[5] Roberto Garza Sánchez, *The Theatre of Federico García Lorca* (sin publicar, tesis doctoral, Universidad de Wisconsin, 1949), p. 52.

[6] María Teresa Babín, «El mundo poético de Federico García Lorca» (Disertación de doctorado en Filosofía, no publicada. Universidad de Columbia, 1951), p. 52.

[7] Juan Eugenio Hartzenbusch, *Los amantes de Teruel,* «Nineteenth Century Spanish Plays», revisada por L. E. Brett (Nueva York: D. Appleton-Century Company, 1935), pp. 121-165.

[8] Jacinto Benavente y Martínez, *Señora ama,* «Obras completas», (Madrid: Aguilar, 1940), vol. III, pp. 200-277.

los criados están contentos porque se les permite quedarse como parte de la servidumbre familiar.

Nuevamente en *La malquerida*[9], Benavente desarrolla la acción principal a partir del medio social, que presenta a través de las conversaciones de sus personajes. También aquí observamos un toque de costumbres tradicionales, lenguaje popular, murmuraciones y maneras, antes de que la obra establezca claramente su enfoque. Una vez más, aparece el triángulo: Raimunda y Esteban están casados, pero él ama a la hija de su mujer, Acacia, su propia hijastra. El enfoque de esta obra se estrecha rápidamente, pues el asesinato de Faustino, que debía casarse con Acacia, se relaciona inmediatamente con otro triángulo —engañoso— respecto de Acacia, Norberto y Faustino. El que ordenó la muerte de Faustino es Esteban, esperando también librarse de Norberto por obra de los hermanos de su víctima. Benavente utiliza la insinuación en esta obra, en lugar de ser explícito. Sospechamos sólo ligeramente que Acacia también está enamorada de Esteban, a quien se presenta como pretendiente rechazado. Más tarde, Acacia confiesa a su madre su amor por Esteban. Los dos amantes están hablando de fugarse cuando se oye un disparo y Raimunda cae sin vida. De este modo, el honor queda salvado, ya que no podría vivir en forma honorable con una relación de este tipo entre su marido y su hija.

Al parecer, también la hija preserva su honor, ya que queda libre de casarse con Esteban y dejar de ser «la malquerida», como sugería la canción compuesta en torno al escándalo familiar. Benavente sigue con los problemas del honor y el amor, principalmente a través del triángulo, y de la influencia europea de *Phèdre*[10], aunque invertida, por supuesto, y modificada. Benavente, como los dramaturgos del Siglo de Oro, mantiene dentro de la obra la estructura social imperante.

García Lorca, sin embargo, es un auténtico dramaturgo del siglo xx. Es un autor moderno. Conserva, como señalamos anteriormente, muchos elementos de la tradición española y,

[9] Jacinto Benavente y Martínez, *La malquerida,* «Obras completas» (Madrid: Aguilar, 1940), vol. III, pp. 695-756.

[10] Jean Baptiste Racine, *Phèdre* (Nueva York: Darcie and Corbyn, 1855).

en ciertos aspectos, nunca se liberó de ella por completo. La refleja fielmente, como señala María Teresa Babín:

> El concepto de la honra, el orgullo de la herencia limpia, la reputación sin mancha, están presentes con todos sus atributos raciales y trágicos, con un marcado sello de catolicismo, en el fondo de esas vidas desgarradas por sentimientos de amor, de pasión y de venganza [11].

Además, Lorca enriqueció su tradición con nuevos elementos, muchos de ellos procedentes de fuentes cosmopolitas europeas.

Miguel de Unamuno, uno de los miembros más antiguos de la Generación del 98, y Ramón del Valle-Inclán, novelista del modernismo, también perteneciente a esta generación, habían ya prefigurado la angustia y el absurdo esencial de la vida moderna. Babín señalaba la similitud de sensibilidad, atmósfera y temperamento entre Lorca y Unamuno, especialmente en cuanto a su preocupación por los problemas eternos y respecto al «hombre de carne y hueso» de Unamuno, perseguido por la fatalidad y el «sentimiento trágico de la vida» [12]. Ángel del Río señalaba, en una autorizada opinión citada por Babín, la afinidad de temperamento entre Lorca y Valle-Inclán. Observa concretamente la similitud de concepción entre *El amor de don Perlimplín,* de aquél, y los esperpentos de éste [13].

Moviéndose dentro del cuadro general del drama rural español, Lorca añade la dimensión trágica, de que carecen por completo las obras comentadas anteriormente. Estudiaremos la naturaleza de la tragedia en el sentido moderno, del que constituyen un excelente ejemplo las principales obras de Lorca.

Ferrater Mora, en su *Diccionario de filosofía* [14], comenta la tragedia. Nos dice que Schelling la define como la continua tensión que surge de la lucha entre necesidad y libertad. Tam-

---

[11] Babín, *op. cit.,* p. 156.

[12] También señala concretamente la angustia en Unamuno, que recuerda la frustración de *Yerma* y de los personajes de Lorca, y observa la diferencia entre los dos autores en cuanto a forma y estilo. Babín, *op. cit.,* p. 51.

[13] Ibid., p. 50.

[14] José Ferrater Mora, *Diccionario de filosofía,* 2 vols., 5.ª edición (Buenos Aires: Editorial Sudamericana, 1965), vol. II, pp. 824-826.

bién en Solger, Ferrater Mora identifica la tensión como un elemento básico de la tragedia; la tensión deja paso al conflicto entre la idea y ella misma, mientras que ésta trata, con resultados debilitadores, de acomodarse a la realidad. Respecto a los hallazgos de Kierkegaard sobre la diferencia entre los sentidos antiguo y moderno de tragedia, Ferrater Mora nos dice que el autor capta la distinción básica en las dos concepciones de la misma, en la diversa noción de culpa en el héroe trágico y su distinta relación con el orden social. Resumiendo a Kierkegaard, Ferrater Mora dice que, mientras que en la tragedia clásica la acción era lo principal y los personajes se subordinaban a ella, en la moderna, los personajes destacan por encima de la acción.

Lorca es enteramente moderno y, sin embargo, está dentro de la tradición española al presentar la tensión y hacer de ella la base de su obra: la tensión que sienten los personajes al desarrollarse y actuar, rechazar o simplemente considerar las acciones dentro del contexto de su adecuación a ellos como personas de «carne y hueso».

Lo nuevo en Lorca es, en parte, este moderno concepto de la tragedia y la tensión que produce. La tensión se desarrolla dentro del contexto de lo deseado y lo posible, del impulso sexual, del cuerpo (*soma*) y el alma. La franqueza con que Lorca presenta estos problemas y el enfoque intensivo y extensivo que les da, también subraya su fresca sensibilidad. Lo nuevo en Lorca es también la lucha entre las necesidades de la sociedad y las del individuo, desde el punto de vista de su naturaleza biológica y animal. Mientras en los dramas rurales del Siglo de Oro el orden social se identifica con la justicia (por ejemplo, el rey es su fuente y su defensor), en Lorca, el individuo en cuyo interior se desarrolla la tensión no puede aceptar, ni de hecho acepta, los dictados del orden social. En el teatro rural del Siglo de Oro, los problemas están claramente perfilados; en Lorca, los personajes nunca están seguros de todas sus motivaciones o las de su situación total. Sólo pueden andar a tientas; también intentan comprenderse a sí mismos o definir sus limitaciones. Una de ellas, casi siempre presente, es la insuficiencia sexual del varón, que integra su propio problema dentro del contexto de sus sentimientos con respecto a sí mismo [15] y perfila el problema agudamente entre las necesidades de la mujer y el código moral y social. Incluso en Benavente, los personajes viven en un medio controlable. En Lorca, no. Son conscientes de muchos factores: misteriosos, sociales y biológicos, que limitan su capacidad de acción y de realización en sus deseos.

En Benavente, el orden social está armonizado y no está esencialmente reñido con los personajes; en Lorca no ocurre así. Hay un mayor enriquecimiento debido a su asimilación de las corrientes contemporáneas europeas en el teatro. Refleja estas corrientes, tímidamente al principio, en *El amor de don Perlimplín,* y más tarde en forma sustancial, en *Así que pasen cinco años.* Toda su producción presenta el impacto de estos esfuerzos surrealistas [16].

Estudiando el teatro de Lorca, centrándonos especialmente en la lucha entre lo deseado y lo posible, la idea y la realidad, el cuerpo y el alma, el orden individual y el social y la tensión que estos conflictos producen, esperamos ilustrar la riqueza e

[15] William McDougall, *The Growth of the Self-Consciousness and of the Self-regarding Sentiment,* «Social Psychology» (Londres: Methuen & Co., Ltd., 1928), pp. 150-179.

[16] Virginia Higginbotham señala la importancia de *Así que pasen cinco años* como el intento surrealista de Lorca más importante y su relación con *A Dream Play,* de Strindberg; *The Comic Spirit of Federico García Lorca* (tesis doctoral sin publicar, Tulane University, 1966), p. 111. Ver también las notas del autor de *A Dream Play,* que citamos a continuación:

«En este *Dream Play,* como en el anterior, *To Damascus,* el autor ha tratado de imitar la forma dislocada, pero aparentemente lógica, de un sueño. Cualquier cosa puede pasar: todo es posible y probable. El tiempo y el espacio no existen; sobre una base de realidad insignificante, la imaginación hila y teje nuevas formas; una mezcla de recuerdos, experiencias, fantasías desencadenadas, absurdos e improvisaciones. Los personajes están divididos, doblados y multiplicados: se evaporan y condensan, se disipan y concentran. Pero una única consciencia mantiene el equilibrio entre todos ellos: el del sujeto del sueño; para él no hay secretos, ni inconsciencias, ni escrúpulos, ni ley. El sujeto ni condena ni absuelve: simplemente relata; como los sueños suelen ser dolorosos y raras veces son alegres, por la oscilante narrativa corre un tono de melancolía, de simpatía por todo lo que vive. El sueño, el libertador, a menudo desempeña un papel penoso; pero cuando el dolor es más agudo, llega el despertar para reconciliar al paciente con la realidad, que por muy angustiosa que sea, en ese momento parece alegre, comparada con el sueño torturador.» August Strindberg, *A Dream Play,* traducción de C. D. Locock, *Continental Plays,* revisada por T. H. Dickinson (Boston: Houghton Mifflin Co., 1935), vol. II, p. 366.

intensidad de su arte. El estudio de estos problemas puede formularse de un modo general dentro del contexto del libre albedrío y el determinismo. Teniendo presente este enfoque, es conveniente observar una vez más el nexo entre Lorca y la tradición dramática española. Al considerar el libre albedrío y el determinismo, no podemos evitar el reflejar la lucha entre libertad y destino que con tanta intensidad dramática y poética está presentada y elaborada en *La vida es sueño,* de Calderón[17]. También aquí el problema se presenta con claridad. El hombre enfrentado a un mundo cognoscible y controlable es capaz de ejercer su libre albedrío por medio de su facultad de razonamiento y de triunfar sobre el destino. En Lorca encontraremos que ni existe la claridad ni existirá nunca el triunfo total.

Los problemas que vamos a estudiar en el teatro de Lorca pueden identificarse también dentro de su poesía. Aludiremos a ellos brevemente. En su *Cante jondo*[18] encontramos tres breves poemas interesantes desde el punto de vista sugerido más arriba. Éstos son: «La guitarra», «Puñal» y «Juan Breva». En el primero de ellos, la guitarra llora y es imposible apagar su llanto. Se considera como parte de su naturaleza y debe soportarse. Encontramos esa misma resignación sugerida en todo el teatro de Lorca. En *Bodas de sangre* observaremos otro objeto inanimado con intención y finalidad propios que el hombre no puede parar. En este caso se trata de un cuchillo. La palabra *puñal* sugiere más claramente su naturaleza. Entra en el corazón como la reja del arado en terreno yermo. Su propósito está claro y no debe tratar de impedirse. En «Juan Breva» se nos pinta en la forma más vaga al hombre que puede no ser un hombre, al hombre que puede ser sexualmente inhábil. Juan Breva tiene cuerpo de gigante y voz de niña. Casi todos los principales personajes masculinos de Lorca son tratados en términos de insuficiencia sexual.

[17] Pedro Calderón de la Barca, *La vida es sueño,* revisado por Everett W. Hesse (Nueva York: Scribners, 1961).

[18] Federico García Lorca, *Cante jondo,* «Obras completas», recopilación y notas de Arturo del Hoyo (Madrid: Aguilar, 1965), pp. 293-342. Todas las citas de la obra de García Lorca que aparecen en el texto están tomadas de esta edición de sus *Obras completas.*

También en el *Romancero gitano*[19] encontramos indicios de un mundo incontrolable y misterioso. En «Preciosa y el aire» aparece el elemento sexual. Se trata de un viento masculino que nunca duerme. El viento es San Cristobalón, que pide a Preciosa, la gitana, que se levante el vestido para que pueda jugar mejor con sus piernas, etc. Es preciso señalar la transformación de la imagen de San Cristobalón, una figura religiosa conocida por su fortaleza y la protección que dispensa. Lorca, al modo de los gitanos, paganiza al santo, haciendo de él un sátiro y hasta un libertino. Preciosa, al sentir al viento masculino, tira el pandero y huye asustada, perseguida por el aire. Debemos observar que se trata sólo del viento, algo que ocurre todos los días, y, sin embargo, Preciosa está tratando de escapar de él porque frunce su ropa interior. Se sugiere que de lo que está tratando de huir es de la fuerza del impulso sexual que hay en su interior y de su propia mente, que la empuja en la misma dirección. Como las apasionadas muchachas de los dramas de Lorca, Preciosa tendrá que luchar con su sexualidad.

En «La casada infiel», Lorca no se limita a sugerir. Presenta el tema del sexo con gran franqueza y detalle. El episodio tuvo lugar junto al río, donde los dos cuerpos sincronizados hicieron un hoyo en el limo. Vemos a la muchacha desnudándose y se describe su cuerpo. El gitano que la sedujo nos cuenta cómo montó sobre ella, etc. Lorca presenta un tema similar en *Bodas de sangre,* al que se asemeja este minúsculo drama. También «Thamar y Ammón» trata de cuestiones sexuales —incesto esta vez— en forma bastante destacada[20]. La descripción de Thamar y su canto recuerda a Belisa en *El amor de don Perlimplín.* También sugiere la fuerza del impulso sexual, bajo cuyo hechizo caen dos jóvenes. Thamar se deja seducir fácilmente, y Ammón lo hace, a pesar de todos los tabúes de la sociedad. El poder de la líbido está aquí realzado por las imágenes. El sexo, en forma de cobra que canta (también

[19] García Lorca, *Obras completas,* «op. cit.», pp. 422-467.
[20] No podemos evitar el pensar en la obra de Tirso de Molina *La venganza de Tamar,* que desarrolla la misma historia, y que se estudia en Everett W. Hesse, *The Incest Motif in Tirso's «La venganza de Tamar»,* «Hispania», XLVII (2 de mayo de 1964), pp. 268-276.

podría representar a Thamar, no está claro), tiene vida propia. La alusión al jardín del Edén y la expulsión de Adán porque sucumbió al poder del sexo es evidente. La aparición de Thamar, desnuda, donde su hermano Ammón pueda verla, nos recuerda una estrategia similar usada por Adela para atraer a Pepe en *La casa de Bernarda Alba*.

Podemos encontrar otro ejemplo importante del elemento sexual en «Casida de la mujer tendida», de la colección *Diván del Tamarit* [21]. Se describe el cuerpo desnudo de la mujer, comparándolo con la tierra y la vegetación, la lluvia y la fiebre del mar. Su vientre es una lucha de raíces. Ella es un suelo fértil en el que ha de plantarse la semilla, a través de la cual la raza debe sobrevivir. Este mismo sentimiento, relativo a la importancia primordial de la fertilidad en la mujer, forma la base completa de *Yerma*.

El tema del sexo, la fertilidad, el incesto y el poder autónomo de ciertos procesos y objetos se examinarán en forma más completa en relación con el libre albedrío [22] y el determinismo, que trataremos de definir en la siguiente sección de nuestro estudio.

HACIA UNA DEFINICIÓN DEL LIBRE ALBEDRÍO Y EL DETERMINISMO

Los autores que han tratado el tema del libre albedrío y el determinismo parecen estar divididos en dos campos: la postura favorable al libre albedrío y la contraria a ésta y defensora del

---

[21] García Lorca, *Obras completas,* «op. cit.», pp. 556-575.

[22] El concepto del libre albedrío es fundamental en la teología católica. Aparece en gran parte de la literatura española, la cual refleja de hecho la moral católica dominante en la sociedad. Es la base de *La vida es sueño*, de Calderón, y está implícito en el *Quijote*. El héroe sale a deshacer los entuertos de sus semejantes y a dispensar justicia con el claro conocimiento de que están dotados de libre albedrío y, por tanto, son capaces de elegir entre el bien y el mal. A pesar de la concepción patológica moderna de Don Juan en *El burlador de Sevilla*, es, a los ojos de Tirso, su creador, perfectamente capaz de distinguir la diferencia entre el bien y el mal y, al menos en sentido filosófico, capaz de realizar una elección libre. En su tratamiento del vicio de la mentira, Juan Ruiz de Alarcón también afirma lo mismo sobre el mentiroso patológico en *La verdad sospechosa*.

determinismo. Para fines de claridad presentaremos por separado los argumentos de cada tendencia.

Al presentar su discusión del libre albedrío, Monroe C. Beardsley y Elizabeth Lane Beardsley [23] consideran la volición como el punto de partida de cualquier acto libre. En primer lugar, debemos decidir mentalmente hacer algo antes de que cualquier acción pueda considerarse voluntaria. Ésta puede llevar consigo cierta deliberación, aunque no es un elemento necesario para que exista acción voluntaria. Un acto libre —dicen— es aquel en que el agente tiene ante sí una alternativa para realizar X o Y, si las condiciones antecedentes a la elección no son suficientes para determinarla. Lo resumen diciendo que la libertad de acción supone falta de sujeción a la represión física o psicológica, y esta libertad siempre se refiere a una acción concreta. Pero añaden que la libertad de acción no debe confundirse con la libertad de albedrío.

Quizá la diferencia entre ambas supone que uno es siempre libre de querer hacer algo o de decidir hacer algo, y que la única posibilidad de represión debe recaer sobre la acción.

Al examinar el libre albedrío, Austin Farrer [24] empieza afirmando que la libertad de albedrío se refiere a la libertad de volición. Continúa diciendo que el «albedrío» es la propia acción en el sentido total y personal del verbo «actuar». Por ello no ve la necesidad, a diferencia de los Beardsley, de insistir en una marcada distinción entre la libertad de albedrío y la de acción. El «albedrío» indica una elección, energía o interés en la realización de algo; la realización es acción, y la acción es el ejercicio del albedrío. La acción —añade— supone una elección deliberada, y, por esta razón, el albedrío puede sólo definirse contrastándolo con sus trabas. Profundizando aún más, añade que la libertad disminuye con el aumento de sus obstáculos, y los individuos la ejercen en contra de las constricciones. Insiste en la presencia de la elección en toda acción voluntaria, aunque la única alternativa sea la acción.

Argumentando con gran vigor en favor del libre albedrío

[23] Monroe C. Beardsley y Elizabeth Lane Beardsley, *Philosophical Thinking* (Nueva York: Harcourt, Brace and World, 1965), pp. 456-464.
[24] Austin Farrer, *The Freedom of the Will* (Londres: Adam and Charles Black, 1958), pp. 109-126.

y al mismo tiempo parafraseando a Kant, Charles Malik[25] dice que el hombre sólo es libre cuando se le presentan alternativas auténticas, y sólo cuando tiene la facultad de elegir una y destruir las demás, con completo conocimiento de lo que está haciendo, defiende su elección y acepta toda la responsabilidad por ella, incluso la muerte. Añade que el hombre sólo es tal en libertad; es decir, cuando puede decir verazmente que la situación en que se mueve ha sido elegida libremente por él y que asume toda la responsabilidad por las consecuencias. Al final dice que el hombre siempre es responsable, puesto que tiene el suicidio como última alternativa. Añade que el hombre renuncia a su libertad universal por la del grupo, y que los existencialistas han tratado de restaurarla sin Dios, lo que, en su opinión, es imposible. Sólo a través de Dios —afirma— es posible la libertad. Continúa diciendo que no hay libertad sin posibilidad de rebelión, que el hombre debe conocer la verdad y ser capaz de rechazarla para ser realmente libre.

Resumiendo los argumentos del libre albeldrío, encontramos un acuerdo sustancial entre los tres escritores. Explícita o implícitamente, todos incluyen los siguientes elementos:

1. Libertad de volición.
2. Elecciones o alternativas cuya ejecución no está totalmente determinada por las condiciones antecedentes.
3. La acción como ejercicio del albedrío.
4. La definición del libre albedrío sólo en contraposición a sus restricciones.

Monroe y Elizabeth Beardsley afirman una distinción, que no explican, entre libertad de albedrío y libertad de acción. En su discusión del libre albedrío se limitan a la libertad de acción. De ese tratamiento del problema podemos concluir que la libertad de albedrío, para todos los fines prácticos, es en realidad libertad de acción. Desde este punto de vista, su postura es realmente la misma que la de Austin Farrer. Este último insiste en que el «albedrío» es acción. Charles Malik argumenta en forma no puramente filosófica, pero incluye la sociología, la política y la religión. Añade: 1) la responsabilidad del

[25] Charles Malik, *The Metamorphosis of Freedom*, «Freedom and Man» (Nueva York: P. J. Kennedy & Sons, 1965), pp. 183-200.

hombre por sus acciones porque, en última instancia, es libre de coerción, puesto que dispone del suicidio como recurso supremo; 2) que el hombre renuncia a la libertad individual por la del grupo; 3) que la libertad no es posible sin Dios.

A continuación examinaremos el caso del determinismo. Sus defensores afirman que todas las acciones están determinadas y cada una de ellas puede explicarse en términos de sus antecedentes [26]. Farrer, adelantándose al argumento de los deterministas, dice:

> Lo que no podemos evitar es lo que nuestra decisión no puede alterar; lo que depende de la decisión que tomemos, seguirá dependiendo de ella, por muy claramente que se deduzca de la situación previa dentro y fuera de nosotros. El fatalista supersticioso imagina una fuerza externa que en forma invisible impone su decisión hacia un fin señalado, a pesar de su aparente elección. El determinista razonable no está dominado por ningún duende. No cree que haya nada que constriña su elección, ni por la fuerza ni por fraude. Sólo el proceso de su elección se sujeta a una regla y permite a un observador ideal el preverlo [27].

William James, comentando el determinismo, menciona la forma antigua, a la que llama determinismo «duro». «No retrocedería ante palabras tales como fatalidad, esclavitud del albedrío, necesidad y similares» [28].

En un estudio del concepto griego del destino, Eldad Cornelis Vanderlip dice que se asocia con el sentido de limitación, que en los trágicos y en Homero representa una aguda consciencia de los aspectos restrictivos de la existencia. Este conocimiento del destino —añade— supone la experiencia de la catástrofe, el peligro y la frustración. Dice que el núcleo del concepto de destino es el sentido de mortalidad, la idea de que finalmente todos debemos perder la vida, la realización y el goce [29]. Aplicando el concepto griego de destino a *L'Asommoir,*

---

[26] Beardsley y Beardsley, *op. cit.,* p. 457.
[27] Farrer, *op. cit.,* p. 120.
[28] William James, *Dilemma of Determinism,* «Philosophical Problems», revisado por Maurice Mendelbaum, et al. (Nueva York: The McMillan Company, 1957), pp. 317-328.
[29] Eldad Cornelis Vanderlip, *Fate in the Novels of Zola and Coperus; a Comparison with the Greek Concept of Fate* (tesis doctoral sin publicar, Universidad de Southern California, 1959), p. 45.

de Zola, Vanderlip afirma que dicho concepto resulta de un intento de Gervaise, un individuo agitado emocionalmente, de expresar el sentimiento de que algo está trabajando en contra de su felicidad [30].

Bronislaw Malinowski [31] dice que el determinismo cultural está integrado en las diversas reglas que garantizan el orden y la seguridad y que fomentan la cooperación y la acción concertada en condiciones de paz y progreso. Añade que debemos darnos cuenta de que la cultura está basada en la existencia de reglas, en su reconocimiento y aceptación, y que dichas reglas son, en general, instrumentos esenciales de la libertad. Refiriéndose a un determinismo natural, Malinowski dice que tanto los hombres como los animales deben obedecer las normas de los procesos naturales; pero el hombre tiene también que acatar las reglas del determinismo, si el concepto es válido. Ve una estrecha relación entre la naturaleza o el determinismo natural y el cultural. Afirma que todos los mensajes de la naturaleza al hombre están integrados en la tradición humana, y, por tanto, la comprensión del determinismo natural se recibe por cada generación a través de la cultura.

Resumiendo nuestro estudio del determinismo, vemos que, para sus defensores, cada acción puede explicarse en términos de sus antecedentes. En la presentación de Farrer vimos que existe una elección en el acto, pero que el proceso está predeterminado por las circunstancias antecedentes y que un observador ideal podría predecir la elección. El fatalista considera que las cosas son conducidas a un fin previamente determinado. William James concibe el fatalismo como parte del determinismo. Vanderlip relaciona el concepto griego de destino con los aspectos restrictivos de la existencia, cuya presencia percibe el hombre a través de la catástrofe y la frustración. Documenta estas afirmaciones en su estudio de *L'Assommoir,* de Zola.

Malinowski considera el determinismo cultural como el cuerpo de normas que rigen la sociedad. Afirma que el hombre debe acatar estas reglas lo mismo que los animales obedecen las del determinismo natural. Cree que el determinismo natu-

[30] Ibid., pp. 52-53.
[31] Bronislaw Malinowski, *Freedom and Civilization* (Bloomington, Ind.: Indiana University Press, 1964), p. 172.

ral está englobado en el cultural. Ledger Wood resume sucintamente ambas posiciones:

> El determinista insiste en que todas las acciones, aun las pla-
> neadas y deliberadas más cuidadosamente, pueden explicarse sim-
> plemente y que, si supiéramos lo suficiente sobre los rasgos here-
> ditarios del hombre y las influencias ambientales que han moldea-
> do su carácter, podríamos predecir cómo se comportaría ante un
> conjunto de circunstancias específicas.
> El libertario o partidario del libre albedrío, por otra parte,
> afirma que existen, al menos, algunas acciones humanas de tipo
> volitivo en que el individuo, ejercitando su fuerza de voluntad,
> actúa independientemente de los factores condicionantes; que al-
> gunos, y quizá todos los actos volitivos, son ocasionalmente inde-
> terminados; es decir, no están asociados de un modo uniforme
> con las condiciones antecedentes [32].

En su libro *El teatro de García Lorca* [33], Robert Lima menciona el destino como un elemento todopoderoso y omnipre-
sente en la obra dramática del autor, pero no examina de qué
modo funciona ni por qué es todopoderoso; ni siquiera dice
en qué medida está presente. Nuestro estudio, aunque no está
dedicado exclusivamente al destino, estudiará este aspecto de
la obra de Lorca, ya sugerido por Robert Lima.

Este ensayo pretende investigar el problema del libre albedrío y el determinismo en el teatro de García Lorca; es decir:

1. Las oportunidades disponibles para el ejercicio del libre
   albedrío.
2. La medida en que los personajes se ven impedidos para
   actuar según sus deseos.
3. La naturaleza de las restricciones a que se les somete.
4. Cómo se consideran a sí mismos a la luz de las fuerzas
   restrictivas.
5. La forma en que estas fuerzas operan para influir sobre su
   personalidad.
6. La importancia del libre albedrío y el determinismo en
   cuanto a la esencia de cada obra.

---

[32] Ledger Wood, *The Free-Will Controversy*, «Philosophical Problems»,
revisado por Mandelbaum (Nueva York: The MacMillan Company, 1957),
pp. 308-313.
[33] Robert Lima, *The Theatre of García Lorca* (Nueva York: Las
Americas Publishing Company, 1963).

7. La contribución de las imágenes al desarrollo del libre albedrío y el determinismo.

Por tanto, queda dentro del alcance de este libro el estudiar todos los aspectos del determinismo y cualquier otro factor que limite la realización del libre albedrío y la libertad de acción de los personajes de los dramas de García Lorca. Este aspecto de su teatro no ha sido estudiado adecuadamente.

CAPÍTULO II

LA TRILOGÍA RURAL

Bodas de sangre [1] puede considerarse casi exclusivamente dentro de los confines del destino y el determinismo. Vamos a demostrarlo comentando la obra cronológicamente. Al principio, en el acto I, escena I, la madre del novio dice que no comprende por qué le permite usar navaja, ya que éstas matan a los hombres. El hombre que sale con un cuchillo en sus manos —dice—, casi nunca vuelve: «No sé cómo te atreves a llevar una navaja en tu cuerpo ni cómo yo dejo a la serpiente dentro del arcón.» (P. 1.173.) En otras palabras, las propias navajas tienen una cierta naturaleza malévola que ni ella ni su hijo pueden cambiar. Es mejor apartarse de ellas [2]. Dice que, aunque viviera cien años, no hablaría de otra cosa que de la horrible función de las armas, porque «primero, tu padre, que me olía a clavel y lo disfruté tres años escasos. Luego, tu hermano.» (P. 1.173.) Evidentemente, teme que su hijo sea el tercero en la lista de víctimas. A la luz de lo que ocurre

---

[1] García Lorca, *Obras completas,* «op. cit.», pp. 1.171-1.272.

[2] Celia Schmuckler Lichtman explica el poder de la navaja: «El cuchillo ritual se considera con respeto y temor en casi todas las religiones primitivas. Su hoja es lo primero que entra en contacto con la sangre de la víctima y, por ello, está dotado de poderes sobrenaturales y sagrados extraordinarios. Llega a adquirir una aterradora autonomía que los fieles contemplan con una mezcla de repulsión y fascinación. Aunque teme su acción, se queda ante él, adorándolo como hipnotizado.» (*Federico García Lorca: A Study in Three Mythologies,* disertación para una tesis doctoral sin publicar, New York University, 1965.) P. 75.

al final de la obra, podemos considerar sus temores como un presagio del destino de su hijo [3].

Nuestra noción del destino obstructivo del novio, basada en los temores de su madre, se intensifica cuando ella le dice poco después: «¿Cómo no voy a hablar viéndote salir por esa puerta? Es que no me gusta que lleves navaja. Es que..., que no quisiera que salieras al campo.» (P. 1.174.) La sensación del destino obstructivo es tan grande que la madre desearía que el novio fuera una muchacha para que no tuviera que pasar el tiempo fuera de la casa: «Que me gustaría que fueras una mujer. No te irías al arroyo ahora y bordaríamos las dos cenefas y perritos de lana.» (P. 1.174.)

El novio y su madre hablan ahora de la novia. Él dice que es buena. La respuesta de su madre es evasiva: «No lo dudo. De todos modos, siento no saber cómo fue su madre.» (P. 1.176.) Lo que quiere decir es que la clase de mujer que haya sido la madre de la muchacha se reflejará en ella, y que si supiera que aquélla fue una buena mujer, podría estar segura de que la muchacha también lo será. Por tanto, la madre del novio introduce el determinismo, si no biológico, al menos social y cultural. Cuando la vecina y la madre del novio hablan de la novia, esta última vuelve a preguntar qué clase de mujer fue la madre de la muchacha. Los dos detalles que deben tenerse en cuenta sobre la madre de la novia por lo que se refiere al determinismo son: 1) «No quería al marido» (P. 1.181.), y 2) «Ella era orgullosa.» (P. 1.181.) Más tarde, cuando la novia engañe a su esposo, se verá la importancia de estos detalles.

El novio y su madre visitan a la novia para preparar la boda. El padre de la novia comenta los haberes de ambas familias: «Lo que siento es que las tierras..., ¿entiendes?..., estén separadas. A mí me gusta todo junto.» (P. 1.196.) Lo menciona de nuevo, al cabo de un momento: «Si pudiéramos con veinte pares de bueyes traer tus viñas aquí y ponerlas en la ladera. ¡Qué alegría!» (P. 1.197.) Pero es incapaz de conseguir que sus deseos se cumplan. No puede unir las dos pro-

---

[3] Celia S. Lichtman también señala la importancia de la serpiente que la madre del novio dejó que entrara en el arcón. La serpiente es un presagio de muerte. (Lichtman, p. 123.)

piedades. Lo considera como una limitación. Podemos observar aquí un ejemplo de determinismo natural. La naturaleza de la tierra no permite transportar una parcela intacta a otro lugar. En el acto II, escena I, la novia y su criada están hablando. La novia dice que su madre procedía de una zona de vegetación exuberante: «Mi madre era de un sitio donde había muchos árboles. De tierra rica.» (P. 1.206.) La respuesta de la criada es: «¡Así era ella de alegre!» (P. 1.206.) Cuando la novia protesta del calor que la consume, la criada replica: «El sino.» (P. 1.206.) Por tanto, se establece una relación entre el temperamento de la muchacha y el medio físico y el clima en que se ha criado. Asimismo se sugiere que la disposición de la madre de la muchacha estaba condicionada por la tierra que la produjo. Ambos son casos de determinismo biológico y ambiental. Hay también una alusión al destino en la respuesta de la novia a lo que la criada ha dicho anteriormente: «Como nos consumimos todas.» (P. 1.206.)

Sigue una insinuación de destino obstructivo, cuando la novia arroja al suelo su corona. La criada le pregunta: «¿Qué castigo pides tirando al suelo la corona?» (P. 1.208.)

Leonardo viene a visitar a la novia poco antes de la boda y le habla del desengaño de su propio matrimonio. Dice, entre otras cosas: «Después de mi casamiento he pensado noche y día de quién era la culpa, y cada vez que pienso sale una culpa nueva que se come a la otra, pero ¡siempre hay culpa!» (P. 1.214.) No se considera responsable de su matrimonio. Ha sido víctima de las circunstancias que militaban contra él. Su boda, por tanto, fue consecuencia de tales circunstancias. En esencia, su matrimonio se considera en forma determinista. Leonardo le dice a la novia que su orgullo no bastará para hacerla feliz: «¡Cuando las cosas llegan a los centros, no hay quien las arranque!» (P. 1.214.) En otras palabras, la pasión como la que ellos sienten es tal que no pueden librarse de ella. Son su víctima. Les domina. Lo que Leonardo dice es cierto, pues la novia le contesta, en forma incontrolable, temblando: «No puedo oírte. No puedo oír tu voz. Es como si me bebiera una botella de anís y me durmiera en una colcha de rosas. Y me arrastra y sé que me ahogo, pero voy detrás.» (P. 1.215.) Tan fuerte es su pasión por él que tiene un efecto tóxico y dominante sobre ella. Paraliza su voluntad y podría obligarle a hacer algo que no desea.

La mujer de Leonardo sospecha que está ocurriendo algo que mina su seguridad, ya que su marido tiene «... una espina en cada ojo.» (P. 1.224.) Resumiendo su situación, ella dice: «No sé lo que pasa. Pero pienso y no quiero pensar. Una cosa sé. Yo ya estoy despachada. Pero tengo un hijo. Y otro que viene. Vamos andando. El mismo sino tuvo mi madre.» (P. 1.224.) Ella ve que su destino es idéntico al de su madre. Parece que lo ha heredado de ella y no puede hacer nada por cambiarlo.

En el banquete de bodas, acto II, escena II, el padre de la novia se entera de que Leonardo y su mujer fueron los primeros invitados que llegaron. Dice de Leonardo: «Ése busca la desgracia. No tiene buena sangre.» (P. 1.227.) Y la reacción inmediata de la madre del novio es:

> ¿Qué sangre va a tener? La de toda su familia. Mana de su bisabuelo, que empezó, y sigue en toda la mala ralea, manejadores de cuchillos y gente de la falsa sonrisa. (P. 1.227.)

Tanto el padre de la novia como la madre del novio ven las posibilidades de Leonardo como ser humano ya determinadas. Por su sangre corre una herencia de homicidios, de pericia con las armas mortíferas, de engaño. Él no puede vencerla de ningún modo. No hay nada que su voluntad pueda hacer por cambiarla. Toda su vida ha estado dominada por las circunstancias de su nacimiento. Conviene observar también el significado de lo que el padre de la novia dice: que Leonardo está buscando la desgracia. He aquí otro hilo del tejido del destino. La desgracia está predestinada. Las posibilidades de Leonardo están tan determinadas que busca la desgracia.

La madre del novio añade otro detalle que estrecha aún más el enfoque del esquema del sino: «En la frente de todos ellos yo no veo más que la mano con que mataron a lo que era mío.» (P. 1.227.) ¿Es también Leonardo un homicida? ¿Y a qué miembro de su familia matará? Tiene que ser a su hijo. Él es el único varón que queda.

Preferiría tener nietas en lugar de nietos porque, hasta cierto punto, el sino de los hombres está decidido: «Tienen por fuerza que manejar armas.» (P. 1.228.) Ella asegura al padre de la novia que la joven pareja tendrá muchos niños porque su hijo es de buena casta: «Mi hijo la cubrirá bien. Es de buena simiente. Su padre pudo haber tenido conmigo muchos hijos.» (P. 1.228.) ¿Y cómo sabe que su marido hubiera sido capaz de engendrar muchos niños? Él también era de buena simiente. Se lo había dicho a su hijo anteriormente: «Tu padre sí que me llevaba. Eso es de buena casta. Sangre. Tu abuelo dejó a un hijo en cada esquina. Eso me gusta. Los hombres, hombres; el trigo, trigo.» (P. 1.174.) Por tanto, ve a su hijo según el determinismo natural. Procede de una casta de reproductores; él también lo será.

Al padre de la novia le gustaría que sus deseos de tierra productiva florecieran inmediatamente. ¡Si pudiera tener nietos rápidamente! «Lo que quisiera es que esto fuera cosa de un día. Que en seguida tuvieran dos o tres hombres.» (P. 1.228.) Pero su deseo no puede satisfacerse. Las leyes de la naturaleza deben seguir su curso: «Pero no es así. Se tarda mucho» (P. 1.228), le dice la madre del novio.

El novio se alegra de que haya venido tanta gente a celebrar su boda. Su madre le dice que no podía haber ocurrido de otro modo, ya que «tu padre sembró mucho y ahora lo recoges tú» (P. 1.230.). Lo interpreta en términos de determinismo social. Considera que el funcionamiento de las leyes de compensación es comparable al de las de la siembra y la cosecha. Más tarde, en el transcurso de la fiesta, el novio baila con la criada de la novia, a quien alaba su vigor. Ella acepta el comentario ruidosamente, hablándole de la virilidad de los hombres de su familia:

> Pero ¿vas a echarme requiebros, niño? ¡Qué familia la tuya! ¡Machos entre los machos! Siendo niña vi la boda de tu abuelo. ¡Qué figura! Parecía como si se casara un monte. (P. 1.234.)

Cuando él replica que es físicamente más pequeño, ella le dice: «Pero el mismo brillo en los ojos.» (P. 1.234.) En otras palabras, él también será viril, como la casta de que procede. El determinismo natural ya lo ha decidido, y él será su instrumento.

Cuando la novia, que está ansiosa, se queja de un dolor de

cabeza, su criada le recuerda que una moza de la montaña debe ser vigorosa: «Una novia de estos montes debe ser fuerte.» (P. 1.239.) Está estableciendo una correlación positiva entre el medio, el clima, la topografía y el carácter, introduciendo otro caso de determinismo natural.

La madre del novio está contenta y optimista. Contesta a su hijo, que acaba de decir que es un mal día para las novias: «¿Mal día? El único bueno. Para mí fue como una herencia... Es la roturación de las tierras, la plantación de árboles nuevos.» (P. 1.240.) Por tanto, considera todo el matrimonio telúricamente. Lo ve como la siembra de nuevos árboles, con la promesa de fructificación; como la propagación de la especie y la restauración del ciclo vital. En otras palabras, lo concibe totalmente en términos de las leyes ocultas, pero seguras, de la naturaleza, válidas, irrefutables y definidas: otro ejemplo, esta vez total, de determinismo natural. Hay una nota tradicional en lo que la madre del novio ha dicho y en la forma en que éste caracterizó anteriormente el día: «¡Mal día para las novias!» (P. 1.240.) Ello nos anticipa la catástrofe que va a seguir, una catástrofe más grave e intensamente patética, debido a la nota de esperanza que la madre del novio expresa al describir el matrimonio como el florecimiento de la tierra. Dramáticamente, la acción pende en equilibrio. Puede seguir en cualquiera de los dos sentidos: conservación y repetición de la especie o perdición. El sino, sin embargo, está en la balanza.

La madre del novio le aconseja sobre cómo debe manejar a su mujer. Su respuesta es: «Yo siempre haré lo que usted mande.» (P. 1.242.) Renuncia a cualquier deseo o iniciativa propia. Obedecerá a su madre, que acaba de darle consejos paternales. Quizá considera su obediencia como un deber social. Su concepción de sí mismo en relación con el consejo de su madre es ligeramente determinista.

Los ejemplos citados de insistencia en el enfoque determinista de la obra en realidad son sólo la preparación para las acciones altamente emocionales e intensamente dramáticas que van a seguir. La obra, al alcanzar su cumbre emocional, también marca el vértice de una concepción determinista de la realidad, justificando de este modo todas las afirmaciones anteriores de este punto de vista.

Cuando la mujer de Leonardo anuncia que éste y la novia se han escapado —«¡Han huido! ¡Han huido! Ella y Leonardo. En el caballo. Van abrazados, como una exhalación» (P. 1.243.)—, el padre de la novia dice que su hija no ha podido hacer tal cosa. La madre del novio insiste: «¡Tu hija, sí! Planta de mala madre, y él, él también, él.» (P. 1.244.) Por tanto, la novia y Leonardo fueron conducidos a la realización de actos ruines mucho antes de que pudieran pensar. Debemos recordar las anteriores dudas de la madre del novio sobre el carácter de la madre de la novia. También debe tenerse en cuenta las primeras referencias a la mala sangre que corre por las venas de Leonardo y de toda su familia.

Una vez más se introduce el sino: una sugerencia que da lugar a incertidumbre; a continuación, una afirmación fuerte que nos deja fuera de dudas sobre el final de la obra, pero galvaniza nuestras emociones hasta el grado requerido. La madre del novio, enfurecida, excitada, pero aún algo cauta, dice al novio: «No. No vayas. Esa gente mata pronto y bien...; pero ¡sí, corre, y yo detrás!» (P. 1.244.) Después, sin que quede ya lugar a dudas sobre lo que debe hacerse o sobre el resultado: «¡Fuera de aquí! Por todos los caminos. Ha llegado otra vez la hora de la sangre. Dos bandos. Tú con el tuyo y yo con el mío. ¡Atrás!» (P. 1.244.)

Ahora ya sabemos qué esperar: derramamiento de sangre; la hora ha sonado. Siempre ha estado flotando en el aire, puesto que los hombres llevan navajas, y la novia es la rama de un árbol del mal, arrastrada por la sangre corrompida de la familia de Félix, por mediación de Leonardo. También el honor viene a servir al sino. El honor de la familia del novio debe ser vengado, y su madre lo expresa en estos términos: «Al agua se tiran las honradas, las limpias; ¡ésa, no!» (P. 1.244.)

En el acto III encontramos simplemente la confirmación de que el destino ha triunfado. Es de noche [4], y los leñadores hablan de la huida de Leonardo y la novia. El Leñador 3.º nos afirma: «Pero los matarán.» (P. 1.246.) No hay duda de lo que va a ocurrir. A pesar de ello, el Leñador 2.º replica: «Hay que seguir la inclinación: han hecho bien en huir.» (P. 1.246.)

[4] María Teresa Babín ha observado que en las obras de Lorca la noche prevalece sobre el día. Babín, *op. cit.*, p. 86.

En otras palabras, se tiene cierta predisposición para determinadas acciones que haríamos bien en seguir. Nuevamente surge el determinismo. Está al servicio del destino. Leonardo y el novio morirán.

Los leñadores continúan anticipándonos la acción y preparando el camino del desastre. Consideran el final enteramente a la luz del determinismo. El Leñador 1.º dice de Leonardo y la novia: «Se estaban engañando uno a otro y al fin la sangre pudo más.» (P. 1.246.) La fuerza de la sangre era demasiado poderosa. La de Leonardo y la novia, por atracción mutua, respondieron a las leyes ajenas a la volición de las dos personas afectadas. Respondiendo casi por ósmosis, ambas sangres corrieron a encontrarse. El Leñador 1.º vuelve a afirmar: «Hay que seguir el camino de la sangre» (P. 1.246.)

El Leñador 2.º nos dice en forma más explícita que Leonardo y la novia, a pesar de sí mismos, estaban destinados el uno para el otro: «El cuerpo de ella era para él, y el cuerpo de él, para ella.» (P. 1.247.) Vuelve a señalarse el destino; esta vez se basa en lo que le ocurrirá al novio. El Leñador 3.º nos dice que el novio encontrará con toda seguridad a la pareja fugitiva. Añade: «Yo lo vi salir. Como una estrella furiosa. La cara color ceniza. Expresaba el sino de su casta.» (P. 1.247.) El Leñador 1.º confirma el destino especial del novio. El signo que el novio lleva sobre sí es el de «su casta de muertos en mitad de la calle» (P. 1.247.). Su hermano murió exactamente del mismo modo. Sólo tenemos que recordar lo que su madre dijo anteriormente: «Cuando yo llegué a ver a mi hijo, estaba tumbado en mitad de la calle.» (P. 1.229.) La forma en que el novio morirá está ya señalada por el destino. El Leñador 3.º pregunta: «¿Crees que ellos lograron romper el cerco?» (P. 1.247.) El Leñador 2.º replica: «Es difícil.» (P. 1.247.) Podía haber dicho imposible.

A continuación, la luna y la muerte aparecen en escena. Electrifican la atmósfera, ya de por sí cargada de catástrofe. Las comentaremos en la sección dedicada a imágenes.

Vemos al novio buscando a Leonardo y a la novia. Nos dice que los encontrará y nos explica por qué:

¿Ves este brazo? Pues no es mi brazo. Es el de mi hermano

y el de mi padre y el de toda mi familia que está muerta. Y tiene
tanto poderío que puede arrancar este árbol de raíz, si quiere.
(Pp. 1.252-1.253.)

Su brazo, pues, es sobrehumano. Está preñado de la fuerza
de toda su familia muerta y del deseo de revancha. Es un brazo
que tiene vida independiente de su propia capacidad. Es, en resumen, un instrumento del destino.

Los leñadores aparecen después de que la muerte ha hablado
con el novio. Ellos también ayudan a mantener el clima de destino obstructivo al cantar:

> LEÑADOR 1.º
>> ¡Hay muerte que sales!
>> Muerte de las hojas grandes.
>
> LEÑADOR 2.º
>> ¡No abras el chorro de la sangre!
>
> LEÑADOR 1.º
>> ¡Ay muerte sola!
>> Muerte de las secas hojas.
>
> LEÑADOR 3.º
>> ¡No cubras de flores la boda!
>
> LEÑADOR 2.º
>> ¡Ay triste muerte!
>> Deja para el amor la rama verde.
>
> LEÑADOR 1.º
>> ¡Ay muerte mala!
>> ¡Deja para el amor la verde rama! (P. 1.255.)

Seguidamente, vemos a Leonardo y la novia, que saben que
se les persigue. La novia quiere dejar a Leonardo, pero se siente encadenada a él. Dice:

> Con los dientes,
> con las manos, como puedas,
> quita de mi cuello honrado
> el metal de esta cadena,
> dejándome arrinconada
> allá en mi casa de tierra. (P. 1.256.)

Su poder no alcanza para librarse de Leonardo. Así es como ella lo ve. No hay oportunidad para el ejercicio del libre albedrío.

También Leonardo se considera como una víctima, incapaz de cambiar nada. La naturaleza, la sangre, el sino, conspiran contra él. Dice:

> ¡Qué vidrios se me clavan en la lengua!
> Porque yo quise olvidar
> y puse un muro de piedra
> entre tu casa y la mía.
> Es verdad. ¿No lo recuerdas?
> Y cuando te vi de lejos
> me eché en los ojos arena.
> Pero montaba a caballo
> y el caballo iba a tu puerta.
> Con alfileres de plata
> mi sangre se puso negra,
> y el sueño me fue llenando
> las carnes de mala hierba.
> Que yo no tengo la culpa,
> que la culpa es de la tierra
> y de ese olor que te sale
> de los pechos y las trenzas. (Pp. 1.257-1.258.)

Aunque puso toda su voluntad en olvidarla y evitarla, hubo fuerzas externas que militaban contra él: el caballo fue directamente a su puerta [5]; en sus sueños era constantemente atormentado. Sólo podía concluir que el culpable era el designio total de la naturaleza.

La novia añade lo que sabe y siente sobre su incapacidad para resistir a Leonardo:

> ¡Ay, qué sinrazón! No quiero
> contigo cama ni cena,
> y no hay minuto del día
> que estar contigo no quiera,
> porque me arrastras y voy,
> y me dices que me vuelva
> y te sigo por el aire
> como una brizna de hierba. (P. 1.258.)

---

[5] Celia S. Lichtman comenta la importancia del caballo como presagio de desastre y muerte. (Lichtman, *op. cit.*, pp. 91-92.)

Ella se ve impotente para resistirle. Se siente arrastrada por una fuerza invisible y empujada por el aire como una brizna de hierba, sujeta a los caprichos del viento. Por tanto, se considera como una víctima de la naturaleza y el destino. También nos ayuda a ver cuál es su sino: la catástrofe.

> He dejado a un hombre duro
> y a toda su descendencia
> en la mitad de la boda
> y con la corona puesta.
> Para ti será el castigo
> y no quiero que lo sea. (P. 1.258.)

Pero sabemos que debe pagarse un terrible precio por el deshonor infringido al novio. Leonardo debe llevar esta carga por todos los de su familia, a cuyas manos han muerto los miembros de la familia del novio.

Leonardo le dice a la novia que no puede dejarla. Está unido a ella mágicamente: «Clavos de luna nos funden mi cintura y tu cadera.» (P. 1.260.) En última instancia, es incapaz de abandonarla. Las fuerzas que han hecho de él lo que es y los han fundido en una pareja le dejan impotente.

Sabemos que lo que tan repetidamente se insinuó ha ocurrido: la muerte violenta de Leonardo y el novio. Se nos dice en las instrucciones escénicas: «Se oyen dos largos gritos desgarrados y se corta la música de los violines.» (P. 1.261.) Poco después aparece la figura de la muerte, pacificada, sometida.

Antes de que los personajes tengan pruebas definitivas de que los dos jóvenes han muerto se da por supuesto su fin. La suegra de Leonardo le dice a su hija cómo debe comportarse una viuda joven y desgraciada como ella. Debe encerrarse en su casa «a envejecer y a llorar» (P. 1.265.). Cuando la mujer de Leonardo pide confirmación de lo que ha ocurrido, su madre le dice: «No importa. Échate un velo en la cara.» (P. 1.265.) No tiene otra alternativa. La costumbre ha dictado la pena por su desgracia e infelicidad. Lo que debe hacer es una cuestión de determinismo social.

La novia viene a hacer las paces con su suegra. Insiste en que no se entregó a Leonardo, aunque huyó con él. Explica a su suegra la imposibilidad en que se vio y en que siempre se hubiera visto para resistir a Leonardo:

> ¡Tu hijo era mi fin y yo no lo he engañado, pero el abrazo del otro me arrastró como un golpe de mar, como la cabezada de un mulo, y me pudiera haber arrastrado siempre, siempre, siempre, aunque hubiera sido vieja y todos los hijos de tu hijo me hubiesen agarrado de los cabellos! (P. 1.269.)

Explica que su acción y todas sus posibilidades como mujer están al servicio de unas fuerzas superiores a toda voluntad y su dominio de sí. Se ve a sí misma como un producto del destino.

Aunque la novia es incapaz de resistir la intensidad de su atracción por Leonardo, su impotencia no es total. Ella quería entregarse a él, pero en forma moral, como su mujer. La fuerza del código social y moral es tal que su escala de valores deriva del mismo. Ella no sería deshonrada. Por ello escapa de una tórrida cita con Leonardo con su honor intacto. Quiere que la madre de su esposo quede convencida de ello. Le dice a su suegra:

> ¡Calla, calla! Véngate de mí; ¡aquí estoy! Mira que mi cuello es blando; te costará menos trabajo que segar una dalia de tu huerto. Pero ¡eso no! Honrada, honrada como una niña recién nacida. Y fuerte para demostrártelo. Enciende la lumbre. Vamos a meter las manos: tú, por tu hijo; yo, por mi cuerpo. Las retirarás antes tú. (P. 1.270.)

Cuando parecía que la pasión había triunfado sobre el código moral, Lorca reconoce la importancia del honor en el carácter de su heroína. Aunque ella rechaza el orden social, su rebelión no es total. El honor actúa como fuerza restrictiva final[6].

La madre del novio acaba convenciéndose de que la novia no tiene la culpa de su impetuoso comportamiento. Termina diciendo: «Ella no tiene la culpa, ¡ni yo!» (P. 1.269.) Al final de la obra, la madre del novio resume la desgracia como obra del destino:

[6] Francesca María Colecchia ha señalado que la heroína lorquiana es mucho más consciente de las normas consuetudinarias de la sociedad y que ello tiende a actuar como un freno sobre su tendencia hacia lo sensual. (*The Treatment of Woman in the Theater of Federico García Lorca,* disertación doctoral sin publicar, Universidad de Pittsburgh, 1954, p. 87.)

> Vecinas: con un cuchillo,
> con un cuchillo,
> en un día señalado,
> entre las dos y las tres,
> se mataron los dos hombres del amor. (Pág. 1.272.)

La parte más significativa de su discurso desde el punto de vista del sino y el determinismo es «en un día señalado». La novia confirma la conclusión de su suegra:

> Y esto es un cuchillo,
> un cuchillito
> que apenas cabe en la mano;
> para que un día señalado,
> entre las dos y las tres,
> con este cuchillo
> se queden dos hombres duros
> con los labios amarillos. (P. 1.272.)

Por tanto, la obra termina con la misma nota que empezó: la obsesión de la madre del novio por el designio y propósito seguros de una navaja. La novia afirma que el cuchillo, para realizar su propósito, buscó el día y hora señalados. La madre del novio, al finalizar la obra, está sola y triste. Lo había sentido como su destino final. Celia S. Lichtman también arroja alguna luz sobre el sino de la madre. Nos habla de la transformación del papel de la mujer de poderosa engendradora de vida a la madre dolorosa, según el modelo de la Virgen de los Siete Dolores y la Virgen de la Soledad [7].

Sería reiterativo intentar tratar en una sección separada el efecto del sino y el determinismo en los caracteres, puesto que los principales personajes, el novio, la novia y Leonardo, se conciben por completo como prueba viviente del determinismo biológico puesto al servicio del destino. Esta afirmación se ha documentado a lo largo de nuestros comentarios sobre la importancia del sino y el determinismo para la esencia de la obra. La acción subordinada y separada es muy escasa. También se ha relacionado con la acción principal en nuestra discusión, excepto en los casos en que se ha considerado más conveniente hacerlo en la sección dedicada a las imágenes.

[7] Lichtman, *op. cit.*, p. 47.

García Lorca ha utilizado las imágenes para enriquecer la
trama de la obra. Se relacionan con la acción principal y con
la sensación de condena que pende sobre los protagonistas.
Vamos a tratar ahora de mostrar la forma en que García Lorca
utiliza las imágenes.

En el acto I, escena II, la suegra de Leonardo mece a su
nieto para dormirle. A primera vista, parece que este acto no
tiene relación con la acción principal. Sin embargo, al considerar la nana que está cantando y el hecho de que la mujer de
Leonardo le acompaña, inmediatamente tendemos un puente
psicológico entre los anteriores temores de la madre del novio
y la catástrofe que sigue. La canción es triste, llena de imágenes
de violencia y muerte. He aquí un fragmento:

> Duérmete, rosal,
> que el caballo se pone a llorar.
> Las patas heridas,
> las crines heladas,
> dentro de los ojos
> un puñal de plata.
> Bajaban al río,
> ¡ay, cómo bajaban!
> La sangre corría
> más fuerte que el agua. (Pág. 1.184.)

Podemos observar dentro de la canción el instrumento de
la muerte: la daga; y el resultado de las puñaladas: sangre que
corre. Se introduce la canción poco antes de que aparezca Leonardo en escena con su caballo sudoroso. Su suegra desconfía
de las razones por las que hace correr tanto al caballo (página 1.189). La canción se repite nuevamente, tras la negativa
de Leonardo a contar a su mujer qué cargas emocionales pesan
tanto sobre él.

En el acto III, escena I, en que la acción principal de la
obra está fuera del escenario y nos preguntamos si el novio
ha encontrado a Leonardo y a la novia, la luna, en forma de
cuchillo, aparece y dice:

> La luna deja un cuchillo
> abandonado en el aire,
> que, siendo acecho de plomo,
> quiere ser dolor de sangre.

¡Dejadme entrar! ¡Vengo helada
por paredes y cristales!
¡Abrid tejados y pechos
donde pueda calentarme! (P. 1.249.)

La luna, un cuchillo, quiere entrar en el pecho de alguien
para calentarse con la sangre. A través de esta imagen sabemos
que el sentido de destino obstructivo define más claramente
sus intenciones: sangre, muerte. Estamos psicológicamente preparados para la muerte de Leonardo y el novio. Nuestra sensación de incertidumbre también aumenta. La luna sigue diciendo
que Leonardo y la novia no pueden escapar a la vigilancia del
novio:

¿Quén se oculta? ¡Afuera digo!
¡No! ¡No podrán escaparse!
Yo haré lucir el caballo
una fiebre de diamante. (P. 1.250.)

Sabemos, por tanto, que habrá un enfrentamiento entre
Leonardo y el novio. Más tarde, al enterarnos de la violencia
que ha producido la muerte de los dos jóvenes, estamos enteramente dispuestos a aceptar su muerte, aunque no hemos sido
testigos de la violencia.

Pronto aparece la muerte en forma de una vieja mendiga.
Habla con la luna. Vemos juntarse a la muerte con su instrumento, la luna-daga. Aumenta nuestro sentido de lo inevitable
y también de incertidumbre. La muerte dice a la luna: «Ilumina
el chaleco y aparta los botones, que después las navajas ya saben el camino.» (P. 1.251.) Y la luna, que sabe muy bien las
intenciones de la muerte, añade: «Pero que tarden mucho en
morir. Que la sangre / me ponga entre los dedos su delicado
silbo.» (P. 1.251.) La muerte añade que no quiere que sus futuras víctimas crucen el río: «No dejemos que pasen el arroyo.
¡Silencio! » (P. 1.251.) Las víctimas están dentro del territorio,
del mundo de la muerte, y ella no quiere que consigan pasar
el río. Si lo hacen, ya no tendrá ningún derecho sobre ellos.
También es una referencia al río Estigia, que conduce a ultratumba [8].

[8] Edith Hamilton comenta el río Estigia y otros asociados con el mundo de ultratumba en *Mythology* (Boston: Little, Brown and Company,
1944), pp. 42-44.

Cuando la muerte se encuentra con el novio, se nos da mayor seguridad de que va a ser su víctima, ya que ella admira su físico. Lo quiere para ella. Él le pregunta si ha visto a un hombre y una mujer a caballo, y ella contesta: «Espera... *(Lo mira.)* Hermoso galán. *(Se levanta.)* Pero mucho más hermoso si estuviera dormido.» (P. 1.254.) Continúa admirándole: «Espera... ¡Qué espaldas más anchas! ¿Cómo no te gusta estar tendido sobre ellas y no andar sobre las plantas de los pies, que son tan chicas?» (P. 1.254.) Ella lo quiere tendido sobre su espalda, muerto. Más tarde le dice que irá con él en su búsqueda de Leonardo y la novia: «Te acompañaré. Conozco la tierra.» (P. 1.255.) Cuando la deja, ya sabemos que será su víctima. Por la conversación entre la muerte y la luna también sabemos cómo morirá.

Al final del acto III, escena I, vemos a la muerte tumbada de espaldas. Sabemos que ha realizado su labor, que ha seducido a dos jóvenes[9]. La canción de las muchachas al final de la escena siguiente confirma el hecho de que la muerte ha llevado a cabo su trabajo. Las muchachas van vestidas de azul oscuro, un color funerario, y están devanando una madeja del color de la sangre, mientras cantan su canción. La Muchacha 2.ª pregunta: «Madeja, madeja, ¿qué quieres decir?» (P. 1.263.) Y la Muchacha 1.ª replica:

> Amante sin habla.
> Novio carmesí.
> Por la orilla muda
> tendidos los vi. (P. 1.263.)

Una niña añade:

> Corre, corre, corre
> el hilo hasta aquí.
> Cubiertos de barro
> los siento venir. (P. 1.263.)

Sabemos que los dos jóvenes están muertos.

Entonces vemos que las imágenes sirven para anticipar y preparar lo que va a venir. También nos narran lo que ha ocu-

---

[9] Celia S. Lichtman comenta la imagen fundida del amor y la muerte en la madre seductora. (Lichtman, *op. cit.,* p. 35.)

rrido fuera del escenario. Al realizar ambas funciones, mantiene la incertidumbre, y el manto de desastre que pende sobre los protagonistas se espesa con los hilos finales que las muchachas están tejiendo. Por tanto, la imagen completa la estructura de la obra.

Hemos mostrado que toda la obra está concebida esencialmente dentro del cuadro del sino y el determinismo y que este último funciona en dos niveles: biológico y social, al servicio del sino, que es la clave de la obra desde los primeros momentos, intensificándose a medida que la acción principal se va acelerando. También hemos mostrado que el determinismo se articula principalmente a través de los personajes que forman el triángulo amoroso. Los propios protagonistas se consideran a sí mismos como instrumentos del sino y el determinismo. Sin embargo, hay uno, la novia, que, frente a una situación con alternativas posibles, realiza una elección, aunque ésta no se ajusta a sus necesidades más profundas. La acción secundaria realiza la función de apoyar a la principal. Ya hemos dicho que las imágenes completan la trama de la obra, creando incertidumbre, preparando el terreno psicológicamente para la aceptación de los acontecimientos principales y evocando ante nosotros los sucesos de la acción principal que tuvieron lugar fuera del escenario.

«YERMA»

Desde los primeros momentos de la obra, Yerma [10] se siente extremadamente insegura de su capacidad como mujer. A un nivel intuitivo y psíquico, ella sabe y siente que sus posibilidades de realización están condenadas al fracaso. El drama esencial de la obra es su necesidad de averiguar si lo que siente y teme es cierto. Es una elaboración de su destino, en el curso de la cual, desde el principio, establece la tensión en su interior y, al exteriorizarse, se convierte en la verdadera clave de la obra, ya que espera que se demuestre que sus sospechas eran infundadas. Por tanto, se nos presenta una lucha entre lo que Yerma quiere y lo que es ya su destino, entre lo que es su

[10] García Lorca, op. cit., pp. 1.273-1.350.

voluntad y lo que está predeterminado. Al desdoblarse el drama veremos cuáles son los componentes de su situación predeterminada y la frustración de sus deseos.

La gran necesidad de Yerma, su ambición, se nos presenta claramente desde el principio del acto I. Ella recuerda a su esposo, Juan, que, después de veinticuatro meses de matrimonio, todavía no tienen hijos. Cuando la deja para ir a su trabajo en los montes, ella canta mientras cose. Por su canción sabemos qué pensamientos ocupan su mente. En ella pregunta a un hijo imaginario qué necesita y de dónde va a venir. He aquí un fragmento de la canción:

> Te diré, niño mío, que sí,
> tronchada y rota soy para ti.
> ¡Cómo me duele esta cintura
> donde tendrás primera cuna!
> ¿Cuándo, mi niño, vas a venir? (P. 1.278.)

Los pensamientos de Yerma toman forma inmediatamente con la aparición de María, que trae la noticia de que ella ya ha concebido. Sólo lleva casada cinco meses, y Yerma toma nota de este hecho con sorpresa: «¡A los cinco meses!» (P. 1.279.) Yerma se siente excitada por el contacto con una mujer encinta. Quiere saber qué sensaciones experimenta María y en qué condiciones tuvo lugar la concepción. Espera utilizar lo que aprenda de ella como lección. Pregunta a María: «... Dime, ¿tú estabas descuidada?» (P. 1.279.) A lo que contesta María: «Sí, descuidada...» (P. 1.279.) Yerma, como sabremos después, trata activamente de concebir, sin resultado. La concepción es un incidente biológico. Tiene lugar en el interior de los órganos reproductores de la mujer y es muy poco lo que ella puede hacer para asegurar su producción. Este hecho biológico se demuestra en el caso de cada una de las dos mujeres. María concibió sin intentarlo y con indiferencia. Yerma no lo hizo, a pesar de sus intentos. El determinismo biológico está ya operando en este drama. Su indiferencia ante los deseos humanos obsesionará a Yerma.

Yerma empieza a preocuparse por el hecho de que, de todas las mujeres que se casaron al mismo tiempo que ella, es la única que no ha concebido. Ha tratado de ayudarse, manteniéndose en contacto con la madre tierra. Dice: «... Muchas noches salgo descalza al patio para pisar la tierra, no sé por qué. Si sigo así, acabaré volviéndome mala.» (P. 1.282.) Por tanto, a pesar de sus esfuerzos, su voluntad se ve frustrada. Reconoce la gravedad de su problema: si continúa así, sin concebir y, además, exponiéndose a los elementos, se volverá mala. Aquí encontramos ya la sugerencia de que Yerma no es sexualmente normal y de que también ella se da cuenta. Hace un esfuerzo por asegurar su fertilidad, comunicándose directamente con la tierra. La sospecha de su insuficiencia sexual la atormentará continuamente. Dedicará todas sus energías y recursos personales a escapar de ella. No aceptará la esterilidad. Afirma cuál es la función de la mujer en general y, más concretamente, su relación con dicha función:

> Tener un hijo no es tener un ramo de rosas. Hemos de sufrir para verlos crecer. Yo pienso que se nos va la mitad de nuestra sangre. Pero esto es bueno, sano, hermoso. Cada mujer tiene sangre para cuatro o cinco hijos, y cuando no los tienen se les vuelve veneno, como me va a pasar a mí. (P. 1.283.)

Hay varias cosas importantes en lo que ella ha dicho. En primer lugar, indica el esquema social en que debe juzgar sus logros como mujer: la maternidad es la señal de la realización. El determinismo social afecta (debe afectar y lo hace normalmente) su opinión de sí misma. En segundo lugar, nos presenta a la madre como víctima que soporta el dolor, aun en el placer. Finalmente, nos expresa la fuerza de su sensación de frustración y la igualmente fuerte premonición de que no podrá librarse de ella. ¿Conoce ya su destino? ¿Va a ser éste realmente su sino? Es posible, pero ella no lo considerará como una realidad hasta que no haya reunido todas las fuerzas de que dispone para romper el cerco que rodea su consciencia. Yerma nos dice que cada mujer tiene dentro de sí sangre suficiente para cuatro o cinco hijos y que la sangre se vuelve veneno si la mujer permanece estéril. La sangre de Yerma se volverá veneno e irrumpirá con una violencia incontrolable hasta el asesinato, como veremos al comentar la escena final de la obra.

En el acto I, escena II, Yerma se encuentra con una anciana, identificada simplemente como Vieja 1.ª Las dos mujeres, la joven y la vieja, vuelven de llevarle la comida a sus esposos. Yerma se alegra de encontrar a una anciana. Piensa que puede darle la información que precisa para ayudarla a concebir. La vieja, a pesar de sus dos maridos y catorce hijos y una clara inclinación a la vida y al sexo [11], no sabe qué medidas concretas pueden tomarse para asegurar la concepción. Es algo ciego, determinado fuera del reino de la voluntad humana y responde a leyes biológicas constantes. Le dice a Yerma: «¿Yo? Yo no sé nada. Yo me he puesto boca arriba y he comenzado a cantar. Los hijos llegan como el agua...» (P. 1.288.)

La respuesta no satisface a Yerma. Lo que quería saber es «¿Por qué estoy seca? ¿Me he de quedar en plena vida para cuidar aves o poner cortinitas planchadas en mi ventanillo?» (P. 1.288), y, lo que es más importante, quiere saber qué hacer, por muy difícil que sea, «... que yo haré lo que sea, aunque me mande clavarme agujas en el sitio más débil de mis ojos.» (P. 1.288.)

La vieja, en un intento de ayudar a Yerma a estudiar su problema, le pregunta si ama a su marido. La respuesta de Yerma indica que no le ama. El hombre a quien realmente quiere y que de verdad provoca sus pasiones es Víctor [12]. Ella se casó con su marido, Juan, porque su padre le eligió para ella: «Mi marido es otra cosa. Me lo dio mi padre y yo lo acepté. Con alegría. Ésta es la pura verdad.» (P. 1.290.) Aquí podemos

---

[11] Es una moderna reencarnación de Celestina. Dice de sí misma: «... Yo he sido una mujer de faldas en el aire, he ido flechada a la tajada de melón, a la fiesta, a la torta de azúcar. Muchas veces me he asomado de madrugada a la puerta, creyendo oír música de bandurrias que iba, que venía, pero era el aire. (Ríe.) Te vas a reír de mí. He tenido dos maridos, catorce hijos, cinco murieron, y, sin embargo, no estoy triste, y quisiera vivir mucho más...» (P. 1.287.) Las lisonjas que dedica a Yerma también recuerdan a las de Celestina a Melibea, cuando ésta dio la bien venida a aquélla en bien de Calixto. La vieja dice a Yerma: «¡Ay, qué flor abierta! Qué criatura tan hermosa eres. Déjame. No me hagas hablar más. No quiero hablarte más. Son asuntos de honra, y yo no quemo la honra de nadie. Tú sabrás. De todos modos, debías ser menos inocente.» (P. 1.290.)

[12] Víctor es el tercer miembro del triángulo y el único que permanece sin definirse. Yerma dice de él: «Me cogió de la cintura y no pude decirle nada porque no podía hablar. Otra vez el mismo Víctor, teniendo yo catorce años (él era un zagalón), me cogió en brazos para saltar una acequia y me entró un temblor que me sonaron los dientes. Pero es que yo he sido vergonzosa.» (P. 1.289.)

observar la fuerza de la costumbre: a fuerza de obedecerles, puede uno llegar a engañarse y creer que se es feliz. La vieja le dice a Yerma que quizá el no amar a su marido tiene algo que ver con el hecho de que no haya concebido: «... Quizá por eso no hayas parido a tiempo. Los hombres tienen que gustar, muchacha.» (P. 1.290.) Pero Yerma no ama a su esposo ni queda satisfecha con las respuestas de la vieja. Su situación es tal que sólo Dios puede ayudarla. Dice: «Que Dios me ampare». (P. 1.291.) La ayuda está fuera de sus manos. La anciana la corrige: «Dios, no. A mí no me ha gustado nunca Dios. ¿Cuándo os vais a dar cuenta de que no existe? Son los hombres los que tienen que amparar.» (P. 1.291.) La vieja alude vagamente a un mundo más manipulable por el hombre. Dios no existe, y, sin embargo, el hombre no es todopoderoso, puesto que la propia anciana admite el carácter ciego de la concepción. Quizá se refiere también a la más concreta función del varón en el coito. Más tarde dice: «Aunque debía haber Dios, aunque fuera pequeñito, para que mandara rayo contra los hombres de simiente podrida que encharcan la alegría de los campos.» (P. 1.291.) Aquí también aparece la sugerencia de que el marido de Yerma, Juan, puede ser impotente. Víctor también lo sugirió anteriormente [13]. Por tanto, no sabemos cuál de los dos, si Yerma o su marido, es inadecuado para tener niños. Lorca, oscureciendo deliberadamente el asunto, ha aumentado sus posibilidades dramáticas. También Yerma, al no saber si su esposo es o no impotente, ha vuelto las acusaciones contra sí misma, aumentando la tensión de la obra y atrapándonos también a nosotros en su ciega búsqueda de autocomprensión y definición [14].

Al partir, la anciana subraya la imposibilidad de Yerma para cambiar su situación. Le dice a Yerma: «... Espera en firme. Eres muy joven todavía.» (P. 1.291.)

La Muchacha 2.ª, casada y, como Yerma, sin niños, se para a hablar con ella. Lo que dice la joven va dirigido a la fuerza

[13] Víctor le dijo a Yerma que Juan debería pensar menos en trabajar y más en el asunto del coito: «... y en cuanto a lo otro, ¡que ahonde! *(Se va sonriente.)*» (García Lorca, *op. cit.*, pp. 67 y 1.285.)

[14] Francesca M. Colecchia observa que Lorca ve a Yerma a través de los ojos de ella, exactamente como se ve a sí misma. (Colecchia, *op. cit.*, p. 67.)

de la tradición. Yerma le pregunta por qué se casó, si no desea tener hijos. Ella le contesta:

> Porque me han casado. Se casan todas. Si seguimos así, no va a haber solteras más que las niñas. Bueno, y además..., una se casa en realidad mucho antes de ir a la iglesia. Pero las viejas se empeñan en todas estas cosas. (P. 1.293.)

A continuación nos muestra el absurdo de la tradición:

> Yo tengo diecinueve años y no me gusta guisar ni lavar. Bueno, pues todo el día he de estar haciendo lo que no me gusta. ¿Y para qué? ¿Qué necesidad tiene mi marido de ser mi marido? Porque lo mismo hacíamos de novios que ahora. Tonterías de los viejos. (P. 1.293.)

También nos expresa su opinión sobre la costumbre del matrimonio: es un convencionalismo represivo e inhibidor que no responde a sus necesidades. También sugiere una mayor libertad sexual. Su actitud nos recuerda la de la joven esposa de *La casada infiel,* de la novia de *Bodas de sangre* y de Adela en *La casa de Bernarda Alba.* La muchacha añade:

> Yo te puedo decir lo único que he aprendido en la vida: toda la gente está metida dentro de sus casas, haciendo lo que no les gusta. Cuánto mejor se está en medio de la calle. Ya voy al arroyo, ya subo a tocar las campanas, ya me tomo un refresco de anís. (P. 1.294.)

La tradición actúa para limitar su libertad, pero ella se niega a permitírselo. Todo el mundo está acobardado y esclavizado, haciendo lo que deben y no lo que quieren. Ella, no: ella insistirá en elegir siempre que pueda. Yerma, como la Muchacha 2.ª, oirá a su marido decirle constantemente, como ya le ha dicho en el acto I, escena I, que se esté en casa. Ella no podrá obedecerle porque su obsesión la llevará a salir donde pueda encontrar ayuda respecto a la concepción.

Anteriormente observamos que Víctor y Yerma están enamorados. Sienten una atracción física mutua. Lorca los reúne nuevamente, haciendo uso de la copla popular que tan diestramente manejara Lope de Vega. Lorca, sin embargo, utiliza la canción para sugerir estados psicológicos. Yerma oye cantar a Víctor al aproximarse. Ésta es su canción:

¿Por qué duermes solo, pastor?
¿Por qué duermes solo, pastor?
En mi colcha de lana
dormirías mejor.
¿Por qué duermes solo, pastor? (P. 1.295.)

Cuando llega, ella alaba su cantar: «Y qué voz tan pujante. Parece un chorro de agua que te llena toda la boca.»
(P. 1.296.) El símil usado para describir su voz es significativo.
El agua se asocia con la satisfacción sexual. Es el fluido que
fecunda la tierra[15]. Aquí tenemos «un chorro de agua» que
penetra «pujante» en Yerma. Por tanto, Víctor la afecta sexualmente. Pero Lorca todavía deja más clara esta atracción entre
Víctor y Yerma. Ella se acerca al muchacho todo lo posible y
le pregunta qué tiene en la cara. Él no sabe de qué habla, y ella
se lo enseña: «Aquí..., en la mejilla; como una quemadura.»
(P. 1.297.) Dice que no es nada. Ella, sin embargo, ve (quizá
una proyección de su propio fuego interior) una quemadura
(quizá su pasión) en su mejilla. Se produce un silencio, y Lorca
habla de su claridad e intensidad: «... El silencio se acentúa y
sin el menor gesto comienza una lucha entre los dos personajes.» (P. 1.297.) Una lucha entre lo que sienten el uno por el
otro, la forma de actuar que la biología les dicta y las prohibiciones del orden social. Es la prueba suprema de la voluntad.
Deben hacer lo que quieren, lo que naturalmente deberían hacer, o deben controlar su pasión a fin de evitar el violar el
código moral, ejercer su fuerza de voluntad y no hacer lo que
la naturaleza les dicta. De cualquier modo, la voluntad puede
funcionar entre dos clases de determinismo.

El penetrante silencio que se produce entre Yerma y Víctor,
una lucha psicológica en silencio, sexualmente significativa,
expresa las necesidades de Yerma, su obsesión maternal. Temblando, pregunta a Víctor si no oye la voz de un niño, llorando
muy cerca, como ahogado. Cuando él le contesta que no ha
oído nada, Yerma le dice: «Serán ilusiones mías.» (P. 1.298.)
Lorca, en sus instrucciones escénicas, vuelve a explicarnos la
significación de este encuentro. Yerma —nos dice— «(Lo mira

[15] Celia S. Lichtman nos recuerda que el agua siempre se ha considerado como un símbolo de fertilidad, como el fluido que da vida a la
naturaleza. (Lichtman, *op. cit.,* p 203.)

fijamente, y Víctor la mira también y desvía la mirada lentamente, como con miedo.)» (P. 1.298.) La lucha ha terminado.
No han violado el código moral. Han violado la voz que oyen
en su interior, la voz de la naturaleza. Han rechazado ésta y
elegido aquél. Afortunadamente para el tercer miembro del
triángulo, aparece en escena el marido de Yerma, cortando la
posibilidad inmediata de intimidad entre ésta y Víctor.

Juan reprocha a Yerma por haber salido a la calle. Ella se
vuelve agresiva, y él le dice: «No maldigas. Está feo en una
mujer.» (P. 1.299.) Su respuesta es significativa respecto a la
opinión que tiene de sí misma y también en términos del destino: «Ojalá fuera yo una mujer.» (P. 1.300.) ¿En qué sentido
adolece de feminidad? Sólo puede referirse a su incapacidad
para concebir un niño. Las insinuaciones de que seguirá estéril
se van haciendo más fuertes. El sino parece cernerse sobre ella.

Juan no se quedará a dedicarse a lo que ella más le preocupa. No compartirá su cama. Tiene que atender a sus deberes. No quiere que ella le espere levantada: «No. Estaré toda
la noche regando. Viene poca agua, es mía hasta la salida del
sol y tengo que defenderla contra los ladrones. Te acuestas y
te duermes.» (P. 1.300.) Quiere progreso material y riqueza
económica y a este fin dedica sus esfuerzos. Su tenacidad y
fuerza moral (quizá voluntad) en este sentido es admirable.
Pero podemos interpretar sus salidas al campo durante toda
la noche, después de haber trabajado todo el día, como un intento por su parte de evadir sus deberes maritales hacia Yerma.
Hay indicaciones anteriores de su insuficiencia sexual que apo-
yan esta interpretación. La mente del autor ha estado jugando
intuitivamente con esta idea. En lo que Juan dice a Yerma hay
algunos símbolos poderosos y sugestivos. El agua se asocia con
la fecundidad de la tierra. Gracias a ella, la tierra produce su
fruto. Juan nos dice que hay poca agua en un momento en que
Yerma necesita mucha para fertilizar. Quizá con este fin le
pregunta: «¿Te espero?» (P. 1.300.) Además, Juan pasa la
noche lejos de su mujer para asegurar a la tierra abundante
agua. De este modo se ocupa de la fecundidad de la tierra,
mientras que descuida esa misma necesidad en su esposa. ¿Es
su acción de fertilizar la tierra un sustituto de su incapacidad
para fecundar a su mujer?

El acto II empieza con la canción de las cinco lavanderas. Lorca nos lleva al lavadero, en este caso el arroyo. Es el centro de murmuración y tiene el propósito de proporcionarnos la reacción del mundo exterior ante la situación personal de Yerma. Obtenemos cierta idea del grado en que los asuntos personales y domésticos se filtran al mundo que rodea inmediatamente los confines de la intimidad doméstica. Estamos seguros de la función de la escena del arroyo, cuando la Lavandera 1.ª dice que no le gusta hablar, la Lavandera 2.ª nos explica inmediatamente la finalidad de la escena: «Pero aquí se habla». (P. 1.301.) También se nos ofrece una visión de las tradiciones y costumbres populares. Las mujeres hablan del honor. La Lavandera 5.ª dice: «La que quiera honra, que la gane.» (P. 1.301.) Y la Lavandera 4.ª replica: «Yo planté un tomillo, yo lo vi crecer. / El que quiera honra, que se porte bien.» (P. 1.301.) En la superficie, la escena puede parecer completamente irrelevante para la acción principal de la obra. No es así, puesto que el honor, que se está discutiendo aquí, es un tema importante del drama. Juan, el marido de Yerma, se preocupa mucho de su honor. Sus dos hermanas viudas que han venido a vivir con él están también actuando como guardianes de su honra. Las lavanderas nos explican el papel de las hermanas de Juan. Él ya las ha traído a vivir con ellos. La Lavandera 4.ª nos dice por qué: «... Estaban encargadas de cuidar la iglesia y ahora cuidan de su cuñada.» (P. 1.301.) La discusión se está centrando en los protagonistas, Juan y Yerma. La Lavandera 4.ª nos dice de Juan: «... El marido sale otra vez a sus tierras.» (P. 1.302.) La Lavandera 1.ª nos alza el nivel general de sospecha en el pueblo: «Pero ¿se puede saber lo que ha ocurrido?» (P. 1.302.) Y finalmente, la murmuración empieza a rodear a Yerma. La Lavandera 5.ª replica. «Anteanoche, ella la pasó sentada en el tranco, a pesar del frío.» (P. 1.302.) La gran obsesión de Yerma y el extraño comportamiento que provoca está siendo objeto del comentario público. Surge la pregunta inevitable: ¿Por qué Yerma se comporta así? La Lavandera 5.ª informa a las demás: «Estas machorras son así: cuando podían estar haciendo encajes o confituras de manzanas, les gusta subirse al tejado y andar descalzas por esos ríos.» (P. 1.302.) Sabemos por lo que la Lavandera 5.ª ha dicho que

el extraño comportamiento de Yerma se relaciona con su esterilidad, imaginaria o real. Sabemos también lo que las costumbres sociales dictan como deberes de una mujer. Debemos observar que también Yerma es consciente de esas obligaciones.
Ha tratado de llevar a cabo esas tareas sin sentido, pero no la
ocupan por completo. La Lavandera 1.ª dice que Yerma no
tiene la culpa de no tener niños. La Lavandera 4.ª insiste:
«Tiene hijos la que quiere tenerlos. Es que las regalonas, las
flojas, las endulzadas, no son a propósito para llevar el vientre
arrugado.» (P. 1.303.) Según lo dicho más arriba, no cabe duda
de las intenciones de Yerma. Las mujeres que quieren tener
niños, los tienen. Se comportan de cierta forma. Yerma no tiene
niños; luego no los desea de verdad. Sabemos que eso no es
cierto; pero es, al menos, una opinión, e importante, pues
constituye la visión pública del personaje. Las mujeres del pueblo también están celosas de Yerma. Creen que es una mujer
mimada, débil y consentida. La Lavandera 3.ª lleva la discusión
aún más lejos, formulando graves calumnias sobre el carácter
de Yerma: «Se echan polvos de blancura y colorete y se pren-
den ramos de adelfa en busca de otro que no es su marido.»
(P. 1.303.) La Lavandera 1.ª formula la pregunta directamente:
«Pero ¿vosotras la habéis visto con otro?» (P. 1.303.) La
Lavandera 4.ª replica: «Nosotras, no; pero las gentes, sí.»
(P. 1.303.) Y la Lavandera 5.ª aclara: «Dicen que en dos ocasiones.» (P. 1.303.) Debe referirse a los dos momentos del
acto I en que Víctor y Yerma estaban juntos y solos. Las gentes
del pueblo han notado el triángulo. Yerma ya ha confesado su
amor por Víctor y sabemos que el triángulo no está realmente
completo, pues Víctor ha permanecido significativamente silen-
cioso. La gente, sin embargo, sólo tiene una cierta configuración
en que basar su opinión; deben rellenar los detalles. Pero
están equivocados. Por lo que se refiere al honor de Yerma, es
suficiente que la gente haya fabricado una situación. Es bastante
para empañar su honor, y su marido, Juan, lo sabe.

En las dos ocasiones en que ha sido vista con alguien, Yerma sólo estaba hablando. Pero la Lavandera 4.ª nos explica el
significado de las palabras que no se han dicho: «Hay una cosa
en el mundo que es la mirada. Mi madre lo decía. No es lo
mismo una mujer mirando unas rosas que una mujer mirando

los muslos de un hombre. Ella lo mira.» (P. 1.303.) La Lavandera 4.ª nos dice lo fuerte que es el deseo de una mujer por un hombre y el importante papel de la imaginación en el deseo de la mujer: «... Y cuando no lo mira (la mujer), porque está sola, porque no lo tiene delante, lo lleva retratado en los ojos.» (P. 1.304.) Se sugiere aquí la posibilidad de que el triángulo se esté convirtiendo en algo apasionado y violento, pero es sólo una pista. Podemos observar aquí el uso de las acciones secundarias, por parte de Lope de Vega, para evitar que el auditorio adivine el final de la acción principal. Lorca hace un uso similar de esta escena.

¿Y qué está haciendo el marido de Yerma respecto de la supuesta relación amorosa que está teniendo lugar entre su mujer y otro hombre? La Lavandera 3.ª nos proporciona la respuesta: «El marido está sordo. Parado, como un lagarto puesto al sol.» (P. 1.304.) Podemos observar de pasada los términos en que se describe a Juan. Es un lagarto, un reptil, puesto al sol. Un reptil no puede soportar climas extremos. El excesivo calor le deshidrataría. Un lagarto puesto al sol se deshidrata. Por tanto, podemos avanzar un poco más y concluir que Juan está deshidratado. Yerma necesita el efecto fertilizante del agua. Por medio de insinuaciones, Lorca apoya un poco más la idea de que Juan es impotente. A diferencia de los dramaturgos del Siglo de Oro, no lo deja todo totalmente claro. Sabe muy bien cómo trabajar en la penumbra, tanto respecto a los hechos como al alma. Ello crea la tensión, un ingrediente fundamental para la tragedia moderna.

Si Yerma y su esposo tuvieran hijos —dice la Lavandera 1.ª—, todo iría bien. La Lavandera 2.ª enfoca la situación de Yerma y su marido desde un punto de vista totalmente distinto: «Todo esto son cuestiones de gente que no tiene conformidad con su sino.» (P. 1.304.) De este modo indica que el destino tiene un importante papel en los asuntos de los hombres. Si pudieran aceptar su sino y ordenar sus vidas de acuerdo con él, habría paz para ellos. Yerma no tiene paz ni la tendrá nunca. Se negará a aceptar su sino. Además, nunca estará realmente segura de que es estéril. Lorca continúa moviéndose en la penumbra entre lo verdadero y lo falso, mientras la Lavandera 1.ª afirma que el culpable es el marido de Yerma: «Él tiene la culpa, él; cuando un padre no da hijos debe cuidar de su mujer.» (P. 1.304.) La Lavandera 4.ª la contradice: «La culpa es de ella, que tiene por lengua un pedernal.» (P. 1.304.) Las lavanderas disputan sobre si es Yerma o el marido el culpable; luego, la disputa se hace más personal. Pronto dejan de discutir para hablar de los rebaños de ovejas que pasan por la calle, pues las dos cuñadas de Yerma llegan al río a lavar.

La técnica que usa Lorca en el desarrollo de esta escena, el enfoque a través de la conversación, recuerda las comedias de salón de Benavente. También es una de las pocas veces que Lorca suspende la acción principal de la obra para dar paso a una escena claramente relacionada con las tradiciones populares. Ello fue señalado en nuestra introducción como elemento básico del teatro de Benavente.

En la escena siguiente, acto II, escena II, volvemos a la acción principal. Conviene recordar que la anterior se ocupaba en gran medida del honor. La acción principal recoge este tema. Juan no quiere que Yerma salga a la calle sin necesidad. Dirigiéndose a sus hermanas, dice que no quiere que Yerma salga porque «... Mi vida está en el campo, pero mi honra está aquí. Y mi honra es también la vuestra.» (P. 1.311.) Está excitado porque no consigue mantener a Yerma en casa. Con dos personas más para vigilarla sigue saliendo. Por tanto, la eficacia de su voluntad —en este caso, mantener a Yerma dentro— se relaciona más directamente con la propia necesidad de la protagonista de concebir. Las prohibiciones de Juan a Yerma sólo pueden producir efecto si él permanece en casa y le proporciona lo que ella necesita tan desesperadamente.

Yerma le dice a Juan que se quedaría en casa si en ella hubiera algún signo de vida, si los muebles estuvieran gastados, pero «... cada noche, cuando me acuesto, encuentro mi cama más nueva, más reluciente, como si estuviera recién traída de la ciudad» (P. 1.312.). Cuando Juan le dice que deje de protestar, puesto que él también tiene motivos para quejarse, ella replica que no ha hecho nada para ofenderle y que soporta su desgracia en silencio. Añade:

> Yo sabré llevar mi cruz como mejor pueda, pero no me preguntes nada. Si pudiera de pronto volverme vieja y tuviera la boca

como una flor machacada, te podría sonreír y conllevar la vida contigo. Ahora, ahora déjame con mis clavos. (P. 1.313.)

Sugiere que, como Cristo, ella también llevará su cruz. Soportará su sino con resginación, pero con ello sólo expresa una débil esperanza. Sabe que, si se contentara con su suerte, habría paz en su casa; pero no puede hacerlo fácilmente, como sugiere la segunda parte de la frase. Si pudiera volverse vieja de repente, se libraría de la ansiedad que golpea sus entrañas: la ansiedad de demostrar su feminidad, de dar fruto: dar a luz y escapar a lo que parece ser su sino. La lucha continuará en ella. No puede acelerar la vejez, que le serviría de escusa para su esterilidad; ni puede activar la concepción. Estas cosas tienen sus propios esquemas, que responden a leyes indiferentes a los deseos de Yerma. Tales cosas pertenecen al reino del determinismo natural.

Juan dice que provee a sus necesidades materiales, que no le falta nada y que, cuando él sale al campo a dormir solo, quiere estar seguro de que ella duerme también. Pero ella no ha concebido, y por ello: «Pero yo no duermo, y yo no puedo dormir.» (P. 1.313.) Ella no puede olvidar, pues la vida de un hombre y el centro vital de sus operaciones es diferente. Ella lo expresa con estas palabras: «Pero yo no soy tú. Los hombres tienen otra vida: los ganados, los árboles, las conversaciones, y las mujeres no tenemos más que esta de la cría y el cuido de la cría.» (P. 1.314.) El papel social de la mujer, en cuya imagen trata de encajar Yerma, es tener y criar hijos. La función de la mujer en la sociedad inculca las leyes de la naturaleza; por tanto, inculca también el determinismo natural. La concepción que tiene Yerma de sí misma en términos de realización biológica es aquí muy fuerte [16].

Yerma transmite parte de su tensión a su marido. Él le dice: «Estando a tu lado no se siente más que inquietud y desasosiego. En último caso, debes resignarte.» (P. 1.314.) Las lavanderas también sugerían la resignación, y la propia Yerma sabe que, si pudiera contentarse con su sino, habría paz

---

[16] Celia S. Lichtman indica que el significado del amor hacia la hembra se considera estrictamente en términos de su función biológica como madre. (Lichtman, *op cit.*, p. 36.)

en su casa para ella y su marido. Pero no es capaz de aceptarlo. Se casó para esto —nos dice— y no tendrá resignación hasta la muerte. He aquí los términos en que lo expresa:

> Yo he venido a estas cuatro paredes para no resignarme. Cuando tenga la cabeza atada con un pañuelo para que no se me abra la boca, y las manos bien amarradas dentro del ataúd, en esa hora me habré resignado. (P. 1.314.)

Yerma define las limitaciones que siente dentro de sí como un deseo de hacer todo aquello que no puede: «Quiero beber agua y no hay vaso ni agua; quiero bordar mis enaguas y no encuentro los hilos.» (P. 1.314.) En cada caso que cita carece de los materiales básicos para llevar a cabo la empresa. Es una frase que expresa su situación, tal como ella la ve, con toda amplitud. No puede conseguir lo que más desea porque le falta lo necesario. La voluntad se ve impotente. No hay nada que pueda hacer. Ella formula su esterilidad en sentido figurado. Esto es lo que irá creciendo e intensificándose y seguirá obsesionándola. Juan también da a entender que ella es estéril: «Lo que pasa es que no eres una mujer verdadera y buscas la ruina de un hombre sin voluntad.» (P. 1.315.) Finalmente resultará que ella no es una verdadera mujer, en el sentido de ser madre (o al menos, no puede objetar nada a esta afirmación), y ella labrará su ruina, no en la forma que él sugiere, la ruina de su honor, sino matándole. Por tanto, esta frase de Juan tiene también la función técnica de anticipación. La respuesta de Yerma a las acusaciones de Juan señala el enfoque del drama en la moderna definición de tragedia: «Yo no sé quién soy. Déjame andar y desahogarme.» (P. 1.315.) Habrá un constante torbellino de angustia y tensión mientras trata de descubrir quién es: ¿Es realmente una mujer o solamente su caparazón? ¿Es fecunda o estéril? Los dramas rurales del Siglo de Oro carecen de esta ambigüedad. Los personajes saben quiénes son. Incluso en *La vida es sueño,* de Calderón, en que temporalmente Segismundo no sabe quién es, el público lo sabe, al igual que su amigo más íntimo, Clotaldo. No existe la tensión del autodescubrimiento. En *Yerma,* nadie en la obra ni fuera de ella sabe quién es Yerma en el sentido que a ella más le importa.

Juan vuelve a hablarle de su preocupación por su honor: «No me gusta que la gente me señale. Por eso quiero ver cerrada esa puerta y cada persona en su casa.» (P. 1.315.) Le dice que recuerde que es una mujer casada: «Y que las familias tienen honra, y la honra es una carga que se lleva entre todos.» (P. 1.315.)

Tan pronto como Yerma le dice a su marido que preferiría no discutir la propia conducta o su honor, empieza a cantar. Lorca nos dice que canta como soñando. Se expresa la necesidad que hay en su interior:

> ¡Ay, qué prado de pena!
> ¡Ay, qué puerta cerrada a la hermosura!
> Que pido un hijo que sufrir, y el aire
> me ofrece dalias de dormida luna.
> Estos dos manantiales que yo tengo
> de leche tibia son en la espesura
> de mi carne dos pulsos de caballo
> que hacen latir la rama de mi angustia.
> ¡Ay pechos ciegos bajo mi vestido!
> ¡Ay, qué dolor de sangre prisionera
> me está clavando avispas en la nuca!
> Pero tú has de venir, amor, mi niño,
> porque el agua da sal; la tierra, fruta,
> y nuestro vientre guarda tiernos hijos,
> como la nube lleva dulce lluvia. (Pág. 1.316.)

Esta canción, además de expresar la gran necesidad de Yerma, también sugiere aspectos de todo el ciclo vital: desde la lluvia de las nubes al árbol con fruto. Yerma ve su misión como parte de este ciclo eterno [17]. Por tanto, concibe sus necesidades en el marco de un ciclo biológico más amplio. Entiende su situación en términos de determinismo biológico. También debemos recordar aquí las descripciones del vientre de la mujer en *La casida tendida,* mencionada en nuestra introducción.

Los deseos frustrados de Yerma se nos presentan aún con más claridad. María sabe hasta qué punto está herida y por ello trata de evitar el agravar su dilema. Yerma interrumpe su canción para preguntar a María dónde va tan aprisa. María,

---

[17] Celia S. Lichtman comenta la necesidad de la mujer en cuanto a la perpetuación del eterno ciclo vital del nacimiento, la procreación y la muerte. (Lichtman, *op. cit.,* p. 36.)

con su hijo en los brazos, responde: «Cuando voy con el niño lo hago…, ¡como siempre lloras!» (P. 1.317.) María se para un momento, y las dos mujeres conversan. Yerma expresa en términos positivos lo que le falta, cuando María le dice que no se aflija: «¡Cómo no me voy a quejar cuando te veo a ti y a otras mujeres llenas por dentro de flores y viéndome yo inútil en medio de tanta hermosura!» (P. 1.317.) Por tanto, en forma positiva, lo que a Yerma le falta es la belleza de la maternidad, el florecimiento de ternura y compasión en su interior. María trata de suavizar las frustraciones de Yerma, diciéndole que tiene otras cosas que pueden darle felicidad. Yerma no se convence. Responde: «La mujer del campo que no da hijos es inútil como un manojo de espinos y hasta mala, a pesar de que yo sea de este desecho dejado de la mano de Dios.» (P. 1.317.) Y añade cuando María hace un gesto como para tomar al niño: «Tómalo, contigo está más a gusto. Yo no debo tener manos de madre.» (P. 1.317.) Por tanto, se ve a sí misma como algo malo, condenado por Dios. Su propósito es benevolente: tener hijos. Como no ha realizado su propósito, es mala y deben negársele incluso los pequeños placeres a través de los que podría vivir más plenamente, por medio de una experiencia delegada. La imagen que tiene de sí misma, causada por su obsesión y frustración, se está amargando y envenenando.

Lorca podría haber desarrollado aquí el tema de la envidia. Podía haber presentado a Yerma cáusticamente envidiosa de María, puesto que esta última es consciente de la presencia de las condiciones necesarias para que se produzca. Pero Lorca no necesita una multitud de temas y direcciones para enriquecer su arte. Es el dramaturgo de la intensidad. La conseguirá por medio de la presentación de un solo personaje. En sus manos, este enfoque es suficiente para la tragedia moderna.

La avalancha de emoción centrada en Yerma sólo ha empezado a descender. Explica por qué no va a usar sus manos para realizar deberes maternales:

> Porque estoy harta. Porque estoy harta de tenerlas y no poderlas usar en cosa propia. Que estoy ofendida, ofendida y rebajada hasta lo último, viendo que los trigos apuntan, que las fuentes no cesan de dar agua y que paren las ovejas cientos de corderos,

y las perras, y que parece que todo el campo puesto de pie me
enseña sus crías tiernas, adormiladas, mientras yo siento dos golpes
de martillo aquí en lugar de la boca de mi niño. (Pp. 1.317-1.318.)

Todo está realizando su propósito de perpetuar el ciclo vital, menos Yerma. Una vez más, se ve a sí misma como ve a
todas las mujeres, como parte del eterno ciclo vital: una visión
completamente determinista en términos biológicos.

También le dice a María que una mujer que está colmada
no tiene idea del vehemente anhelo que hay dentro del pecho
de una mujer vacía: «Las mujeres cuando tenéis hijos no podéis pensar en las que no los tenemos. Os quedáis frescas, ig-
norantes, como el que nada en agua dulce y no tiene idea de
la sed.» (P. 1.318.) Nuevamente, conocemos la profundidad
y grandeza de la frustración de Yerma. Ella lo expresa en términos de sed insatisfecha. Sabemos que el agua tiene un significado sexual, puesto que es el fluido que fertiliza la tierra.
Por tanto, la figura que Yerma está usando está relacionada
con la preocupación de Juan por la fertilidad del suelo y su
aparente descuido de la necesidad de su mujer de concebir un
hijo. Yerma añade, dirigiéndose a María, que, a medida que su
deseo aumenta, sus esperanzas se desvanecen: «Cada vez tengo
más deseos y menos esperanzas.» (P. 1.318.) Las condiciones
en que se encuentra deben producir una explosión, pues los
deseos y las esperanzas se van separando cada vez más. Pero
Yerma no alcanzó el umbral de la desesperanza sin intentarlo.
Hacía cosas extrañas: salir por la noche a dar de comer a los
bueyes, un trabajo de hombre. Además, creía oír pisadas de
hombres. María trata nuevamente de consolarla diciéndole:
«Cada criatura tiene su razón.» (P. 1.318.) Si ello es así, todos
estamos predestinados; el sino pende siempre sobre nuestras
cabezas y experimentamos la frustración y la infelicidad si
nuestros deseos y ambiciones no concuerdan con nuestra finalidad metafísica. Ésta es precisamente la situación de Yerma.

María trata de desviar la conversación, pero ésta siempre
vuelve a la preocupación de Yerma. Ella le pregunta por sus
cuñadas y su marido. Yerma responde que están contra ella y
que creen que puede interesarse por otro hombre: «... Creen
que me puede gustar otro hombre y no saben que, aunque me
gustara, lo primero de mi casta es la honradez.» (P. 1.319.)

Como casi todas las heroínas de Lorca (excluyendo a Belisa, Adela y la novia de *Así que pasen cinco años*), la preocupación de Yerma por su honor actúa como una reacción que anula su tendencia hacia lo sensual.

Yerma, sin embargo, es de una fibra tan dura, de fibra de nylon, que aún no se ha rendido. Concierta una entrevista con la madre de la Muchacha 2.ª Espera que ella pueda ayudarla en su búsqueda de realización. No admite que su voluntad quede frustrada.

En la escena siguiente, Víctor viene a despedirse de Juan y Yerma. Tiene que ir con su padre, que es muy anciano. Yerma le dice que hace bien en irse a otros campos. Él responde: «Todos los campos son iguales.» (P. 1.322.) Y añade cuando Yerma le dice que ella se hubiera marchado: «Es todo lo mismo. Las mismas ovejas tienen la misma lana.» (P. 1.322.) Todo, en su opinión, es una constante repetición de los mismos esquemas, los mismos modelos. También el hombre debe encajar en esos esquemas. Por ello se resigna. Yerma recuerda a Víctor su mutua pasión, después que él le dice que se ha conducido honorablemente: «Te portaste bien. Siendo zagalón, me llevaste una vez en brazos, ¿no recuerdas? Nunca se sabe lo que va a pasar.» (P. 1.323.) Él replica que esos tiempos ya han pasado. Y ella, refiriéndose a la pasión que lleva encerrada en su interior y que quisiera desatar ante él, como beneficiario, dice que algunas cosas no pasan, no cambian. Él, la voz de la resignación, dice: «No se adelantaría nada. La acequia por su sitio, el rebaño en su redil, la luna en el cielo y el hombre con su arado.» (P. 1.323.) Víctor ve una estructura en la que tiene su papel. Para él, no hay frustración ni tensión. Yerma comprende perfectamente la fuente de la fuerza moral de Víctor, la fuente de su calma. Lo expresa de esta forma: «¡Qué pena más grande no poder sentir las enseñanzas de los viejos!» (P. 1.323.)

Víctor se despide de Yerma. Juan le acompaña hasta el río. El tercer miembro del triángulo, que nunca tuvo su impacto en términos de celos, envidia, pasión, infidelidad y violencia, desaparece. Ahora sabemos que lo que las lavanderas sugerían era sólo una pista falsa. Nuevamente debemos señalar que Lorca no necesita del triángulo para llevar el drama a su clímax.

Operará en la zona de la tensión, ocasionada por la lucha entre la necesidad reproductora y el amor puro de Juan. Antes de que Víctor se marchara, Yerma le había dicho sobre el éxito económico de su marido: «El fruto viene a las manos del trabajador que lo busca.» (P. 1.324.) Ello es simplemente una indicación de que ella piensa buscar el fruto en forma más activa.

El acto II empieza con Yerma en casa de Dolores, la conjuradora. Ésta le asegura a Yerma que tendrá un hijo, y ella afirma: «Lo tendré porque lo tengo que tener.» (P. 1.328.) Yerma proclama una vez más la fuerza de su deseo. Espera que de algún modo la intensidad de su sentimiento produzca resultados favorables. Le da gran importancia a la fuerza de voluntad. En casa de la conjuradora está presente la Vieja 1.ª del acto I. Le dice a Yerma que debe resignarse a no tener niños, puesto que con ellos llegan las responsabilidades y la tarea de cuidar de ellos. Yerma no puede aceptar este punto de vista y le dice a la vieja:

> Yo no pienso en el mañana, pienso en el hoy. Tú estás vieja y lo ves ya todo como un libro leído. Yo pienso que tengo sed y no tengo libertad. Yo quiero tener a mi hijo en los brazos para dormir tranquila, y óyelo bien y no te espantes de lo que digo: aunque yo supiera que mi hijo me iba a martirizar después y me iba a odiar y me iba a llevar de los cabellos por las calles, recibiría con gozo su nacimiento, porque es mucho mejor llorar por un hombre vivo que nos apuñala que llorar por este fantasma sentado año tras año encima de mi corazón. (P. 1.328.)

Ella quiere a su hijo a toda costa. Aunque la muerte sea el precio de la realización, ella le dará la bien venida, porque no realizarse es no ser libre. Está sedienta —dice—, y esa sed le convierte en una mujer sin libertad. El que no puede satisfacer su sed no es verdaderamente libre. Existen frenos a la propia aptitud para ejercer la libertad.

La Vieja 1.ª le dice a Yerma que, mientras espera que Dios la bendiga, debía tratar de ayudarse amando a su marido. Dolores también dice a Yerma que Juan es un buen esposo. Sin embargo, el juicio de Yerma sobre su marido es diferente:

> ¡Es bueno! ¡Es bueno! ¿Y qué? Ojalá fuera malo. Pero no. Él va con sus ovejas por sus caminos y cuenta el dinero por las

noches. Cuando me cubre cumple con su deber, pero yo le noto la cintura fría, como si tuviera el cuerpo muerto, y yo, que siempre he tenido asco de las mujeres calientes, quisiera ser en aquel instante como una montaña de fuego. (P. 1.329.)

Yerma ve a su marido como un hombre que trata de hacerse rico. También le ve como una persona sexualmente frígida que, cuando se acuesta con ella, sólo cumple una obligación. Lorca desarrolla simultáneamente las posibilidades capaces de exprimir la máxima tensión de la situación de Yerma. Nos encontramos de nuevo con otra indicación de la impotencia de Juan. Yerma reforzará esta sugerencia al lamentar el hecho de no poder concebir sola un niño: «No soy una casada indecente, pero yo sé que los hijos nacen del hombre y de la mujer. ¡Ay, si los pudiera tener yo sola!» (P. 1.329.) Sabemos que una mujer no es hermafrodita. Yerma también lo sabe. El que tenga que ajustar su pensamiento a este hecho es aún más represivo.

Dolores dice a Yerma que Juan, su marido, también sufre, pero ella lo niega: «No sufre. Lo que pasa es que él no ansía hijos.» (P. 1.329.) Añade:

> Se lo conozco en la mirada, y como no los ansía, no me los da. No lo quiero, no lo quiero y, sin embargo, es mi única salvación. Por honra y por casta. Mi única salvación. (P. 1.329.)

De la anterior afirmación deducimos que los hijos son el resultado del deseo mutuo de ellos por parte del marido y la mujer, en el coito sin duda, y quizá también como actitud mental general. Sabemos que eso no es cierto, que las leyes de la biología no tienen en cuenta a los participantes en el acto sexual. No obstante, Yerma insiste en la aquiescencia de estas leyes al deseo mutuo. Nuevamente afirma que no ama a su marido. Por tanto, no ve en el amor un ingrediente necesario para la concepción; sólo la necesidad de reproducción es indispensable. Tal como ella lo ve, su dilema también es producto de las costumbres sociales. Debe ser fiel a su marido, pues su honor es lo principal. Debe serle fiel por razones de casta social. Por ello su marido es su única salvación, pero la salvación no llega. Esto es un auténtico dilema. Lorca desarrolla la intensidad de su obra en este reconocimiento por parte de Yerma del poder de la sociedad.

Cuando Yerma está a punto de abandonar la casa de la conjuradora, se asegura de que sabe cuántas veces y en qué momentos debe decir las distintas oraciones. No tiene mucha confianza en que la conjuradora pueda ayudarla. Sin embargo, antes de irse llega Juan en su busca. Se siente ofendido al verla en casa de la conjuradora y le dice que ha estado manchando su honor, que le ha sido infiel desde que se casaron:

> Lo está haciendo desde el mismo día de la boda. Mirándome con agujas, pasando las noches en vela con los ojos abiertos al lado mío y llenando de malos suspiros mis almohadas. (P. 1.332.)

Además, ella ha estado constantemente saliendo a la calle. Le gustaría saber qué ha estado buscando: «... Las calles están llenas de machos. En las calles no hay flores que cortar.» (Página 1.332.) Pero Yerma tiene un fuerte sentido de su valor personal. Su sentimiento respecto a sí misma es poderoso, y su respeto por el código del honor, singular. La acusación de su marido la hace estallar:

> No te dejo hablar ni una sola palabra. Ni una más. Te figuras tú y tu gente que sois vosotros los únicos que guardáis honra, y no sabes que mi casta no ha tenido nunca nada que ocultar. Anda. Acércate a mí y huele mis vestidos; ¡acércate! A ver dónde encuentras un olor que no sea tuyo, que no sea de tu cuerpo. Me pones desnuda en mitad de la plaza y me escupes. Haz conmigo lo que quieras, que soy tu mujer, pero guárdate de poner nombre de varón sobre mis pechos. (P. 1.333.)

Lorca, al presentar la declaración apasionada de Yerma de su fidelidad a su marido y su pasión por su honor sin comprometer, también expresa olores atrevidos y, por deducción, mucho más. Podemos imaginarnos a una mujer en la situación de Yerma, demostrando realmente, desnuda, su pureza como esposa. Sin embargo, el escenario no lo permite, y por ello Lorca tiene que usar las sugerencias. Juan le dice a Yerma que él no la ha acusado de nada que el resto de la gente no le haya atribuido, y que es su conducta la que ha dado pie a que la gente hable. Además, a él también le afectan los rumores: «... Cuando llego a un corro, todos callan; cuando voy a pesar la harina, todos callan...» (P. 1.333.) No puede comprender qué es lo que su esposa, una mujer casada, está buscando fuera de su casa. Ella se lo dice y, al mismo tiempo, le pide ayuda, abrazándole: «Te busco a ti. Te busco a ti; es a ti a quien busco día y noche, sin encontrar sombra donde respirar. Es tu sangre y tu amparo lo que deseo.» (P. 1.333.) Pero él la aparta de sí.

Puesto que su marido la ha rechazado, ya no hay esperanza. Ella maldice su linaje: «¡Maldito sea mi padre, que me dejó su sangre de padre de cien hijos! ¡Maldita sea mi madre, que los busca golpeando por las paredes!» (P. 1.334.) Por tanto, considera que su propia sangre lleva en sí las contradicciones de la esterilidad. De su padre heredó la sangre prolífica de cien niños. Su madre los quería, pero nunca los consiguió. Biológicamente, la esterilidad de Yerma estaba determinada por las líneas hereditarias. Ahora sabemos que llevaba su sino con ella, aunque trató apasionadamente de escapar de él. Pero a Juan le resulta embarazoso su arranque. Quiere que deje de gritar, pero ella no le hace caso. Al menos, ejercerá la libertad de expresión. Él insiste en que guarde silencio y que se vayan a casa. Trata de obligarla. Ella le dice que es inútil: «¡Ya está! ¡Ya está! ¡Y es inútil que me retuerza las manos! Una cosa es querer con la cabeza...» (P. 1.335.) Podríamos especular sobre el significado de la última parte de su discurso: Juan, como pronto veremos, la ama por sí misma, casi platónicamente; es decir, que no la quiere con el cuerpo. Lo que ella le está diciendo quizá es que esa clase de amor no es suficiente para dejarla encinta, lo mismo que él quiera que vaya a casa no es suficiente para obligarla. Por otra parte, si lo referimos a la propia Yerma, podría significar que querer un hijo, como ella quiere, no es suficiente para la concepción. Debemos recordar que en términos sensuales ella no ama a Juan. De cualquier modo que lo consideremos, está claro que se refiere a la falta de correspondencia entre el deseo y la acción, entre la idea y la realidad. Ello roza las limitaciones de la voluntad y las exigencias de la tragedia.

La propia Yerma clarifica la frase hasta cierto punto, en cuanto tiene oportunidad de completarla:

> Una cosa es querer con la cabeza y otra cosa es que el cuerpo,
> ¡maldito sea el cuerpo!, no nos responda. Está escrito y no me
> voy a poner a luchar a brazo partido con los mares. ¡Ya está!
> ¡Que mi boca se quede muda! (P. 1.335.)

Ella ha dicho también que su sino está ya decidido, que las fuerzas que militan contra su realización y felicidad son demasiado grandes y que ahora debe resignarse. La resignación, si es sincera, podría proporcionarle un respiro para su frustración. Como veremos, la paz no le llegará fácilmente.

En el acto III, escena II, las mujeres sin hijos han hecho una peregrinación a la romería a fin de concebir. Entre ellas está Yerma. La Vieja 1.ª del acto I también está presente. La anciana disfruta del espectáculo de tantas mujeres jóvenes ansiosas de ser fecundadas y de la presencia de tantos hombres jóvenes. Ríe al indicar lo que está ocurriendo en realidad. Al preguntarle por qué viene a la romería responde:

> A ver. Yo me vuelvo loca por ver. Y a cuidar de mi hijo.
> El año pasado se mataron dos por una casada seca y quiero vigi-
> lar. Y en último caso, vengo porque me da la gana. (P. 1.337.)

Ella es vieja, pero le gusta ver cómo los jóvenes se hacen el amor. A través de ellos recupera su juventud, aunque en forma delegada [18].

Hay una mujer joven en la romería. Se identifica como Muchacha 1.ª Dice que ha estado viniendo a la romería con su hermana durante ocho años sin resultado. María responde: «Tiene hijos la que los tiene que tener.» (P. 1.337.) La Muchacha 2.ª está de acuerdo. Si Yerma pudiera también ver esto y aceptarlo...

A continuación empieza la escena de la romería, una escena báquica y dionisíaca, con un gran significado de sexo y fertilidad. Comentaremos esta escena en la sección dedicada a las imágenes por considerarlo más apropiado. Debemos simplemente observar aquí que Yerma se ha unido al canto y encantamiento y que éste es realmente su último, desesperado, orgás-

---

[18] Celia S. Lichtman ha señalado la etapa final de la transformación de la hembra en una vieja arrugada con los poderes mortales de una bruja que trata de recuperar su juventud. (Lichtman, *op. cit.*, p. 48.)

mico, intento de realización y maternidad. Ha decidido poner su
confianza en lo ritual, misterioso, sobrehumano y delirante.

Tras las ceremonias de la romería, la anciana, que se supone
que es la Vieja 1.ª (el texto no es explícito, pero las referencias
de la anciana indican que se trata de la misma del acto I), le
dice a Yerma que es Juan el que es estéril:

> La culpa es de tu marido. ¿Lo oyes? Me dejaría cortar las ma-
> nos. Ni su padre, ni su abuelo, ni su bisabuelo, se portaron como
> hombres de casta. Para tener un hijo ha sido necesario que se
> junte el cielo con la tierra. Están hechos con saliva. En cambio,
> tu gente no. Tienes hermanos y primos a cien leguas a la redon-
> da. Mira qué maldición ha venido a caer sobre tu hermosura.
> (P. 1.344.)

Si lo que la vieja dice es cierto, el sino de Yerma estaba
decidido desde mucho antes. La cohabitación con un hombre
estéril no puede hacerla madre. Ella no lo sabía; por el contrario, buscaba en sí misma las causas de su falta de hijos, aunque
había las suficientes reservas sobre su esterilidad como para
hacer partícipe a su marido de la causa de su situación. Vemos
que se usa la fuerza de la herencia como argumento principal.
La anciana dice que Yerma procede de una línea fértil, y Juan,
de una casta estéril. Por tanto, se introduce el determinismo
natural. Podemos observar que su actuación ha fijado el sino
de Yerma. Ella no lo sabía y por ello trataba de forjar su futuro. Si es su línea la que es estéril, nuestro argumento se mantiene. Pero se señala a su marido como la parte deficiente.
¿Qué alternativa le queda a Yerma? Para quedar encinta tiene
que buscar a un hombre fértil. La anciana se lo sugiere:

> Cuando te vi en la romería me dio un vuelco el corazón. Aquí
> vienen las mujeres a conocer hombres nuevos. Y el santo hace el
> milagro. Mi hijo está sentado detrás de la ermita, esperándote.
> Mi casa necesita una mujer. Vete con él y viviremos los tres jun-
> tos. Mi hijo sí es de sangre. Como yo. Si entras en mi casa, toda-
> vía queda olor de cunas. La ceniza de tu colcha se te volverá pan
> y sal para las crías. No te importe la gente. Y en cuanto a tu
> marido, hay en mi casa entrañas y herramientas para que no cruce
> siquiera la calle. (P. 1.345.)

Se nos dice explícitamente lo que ocurre en la romería.

Más tarde comentaremos el papel de las imágenes en la ceremonia. En cualquier caso, las mujeres van a la romería a tener relaciones con otras parejas a fin de concebir. Por tanto, se supone que Yerma seguirá la misma conducta, si quiere tener un hijo.

La vieja tiene una pareja especial para Yerma. Le ofrece su propio hijo. Por tanto, hace de alcahueta. Anteriormente mencionamos el parentesco entre esta anciana y la Celestina. Conviene observar aquí que Celestina también tenía muchas ocupaciones, entre ellas la de alcahueta. Otro de sus oficios era el de bruja. Tiene entrañas y herramientas en su casa para impedir que Juan entre. La anciana también afirma el poder de la herencia. Su hijo es de sangre caliente, lo mismo que ella.

Yerma tiene ante sí el momento que podría traerle la concepción, pero lo rehusa. Está ofendida por la sugerencia de la vieja y la opinión que tiene de ella. Lo expresa en estos términos:

> ¡Calla, calla, si no es eso! Nunca lo haría. Yo no puedo ir a buscar. ¿Te figuras que puedo conocer otro hombre? ¿Dónde pones mi honra? El agua no se puede volver atrás ni la luna llena sale al mediodía. Vete. Por el camino que voy seguiré. ¿Has pensado en serio que yo me pueda doblar a otro hombre? ¿Que yo vaya a pedir lo que es mío como una esclava? Conóceme, para que nunca me hables más. Yo no busco. (P. 1.345.)

Yerma se siente insultada. Su honor es demasiado importante para ella. No puede y no va a comprometer su honra. También es muy consciente del valor social del mismo. Conoce el papel de la hembra en la sociedad: debe atraer al varón, pero no ir a buscarle. No se humillará. Lorca sugiere aquí la alternativa que se abre ante una mujer como Yerma en condiciones de libre elección. Sin embargo, Yerma no es libre; está reprimida por las exigencias de los tabúes y del orden social. Deseamos observar aquí, de pasada, la similitud entre el comportamiento de Yerma en este escena, su temperamento, actitud y estallido, y el de Melibea en una situación parecida, en *La Celestina*. También conviene señalar el parecido entre la concepción artística de Yerma y la Vieja en esta escena y Melibea y Celestina en la escena correspondiente de *La Celestina* [19]. La anciana responde al arranque de Yerma en forma muy realista: «Cuando se tiene sed, se agradece el agua.» (P. 1.345.) Su respuesta resalta el tono en que se consideran la concepción y la maternidad: estrictamente en términos biológicos. Yerma recoge la metáfora y la extiende a un símil apoyado. Dice:

> Yo soy un campo seco donde caben arando mil pares de bueyes y lo que tú me das es un pequeño vaso de agua de pozo. Lo mío es dolor que ya no está en las carnes. (P. 1.345.)

Yerma, aunque continúa la metáfora en términos de tierra seca y sedienta de lluvia, la eleva a un plano más alto y, paradójicamente, más corrosivo. El hijo de la vieja podrá ser capaz de fecundarla, eso es cierto, pero es todo; ella ya tiene la aridez pegada al alma: toda su psique ha sentido el impacto de su vaciedad y falta de realización.

La vieja actúa en el marco de una escala de valores distinta. Irritada por lo que sólo puede ser necia terquedad y falso orgullo en el caso de Yerma, echa sal en la ardiente herida del personaje, diciendo: «Pues sigue así. Por tu gusto es. Como los cardos del secano, pinchosa, marchita.» (P. 1.345.) Las instrucciones escénicas de Lorca para lo que la vieja acaba de decir son: «Fuerte.» «Marchita» es la palabra que Yerma menos deseaba oír. Ha estado rumiándola en su cabeza durante años y esperaba que nunca le viniera de fuera la confirmación. La respuesta de Yerma a la vieja es también violenta:

> ¡Marchita, sí, ya lo sé! ¡Marchita! No es preciso que me lo refriegues por la boca. No vengas a solazarte como los niños pequeños en la agonía de un animalito. Desde que me casé estoy dándole vueltas a esta palabra, pero es la primera vez que la oigo, la primera vez que me la dicen en la cara. La primera vez que veo que es verdad. (Pp. 1.345-1.346.)

Finalmente se ha confirmado que Yerma está seca, estéril. Ahora ya sabe (se ha revelado) la verdad que ella había sospe-

---

[19] Ver acto IV de *La Celestina:* el segundo encuentro entre Celestina y Melibea, en que aquélla menciona por primera vez a ésta el tema de Calixto como posible amante. (Fernando de Rojas, *La Celestina.* México: Ediciones Ateneo, 1961.)

chado durante tanto tiempo sobre sí misma. Su drama, su tortura, toda la obra con sus resortes tensos y al borde de estallar, es el drama interno de Yerma. Sabemos que la obra podía haber tenido lugar enteramente dentro de la mente de Yerma, por medio de sueños, pensamientos, premoniciones, etc., y las manipulaciones del tiempo y el espacio para ajustarse a las fantasías del sujeto. Convendría señalar aquí que, cuando Lorca escribió *Yerma,* ya tenía en su haber una obra surrealista, *Así que pasen cinco años,* y *El amor de don Perlimplín,* concebido con toques surrealistas. En *Yerma,* estos toques, que para entonces había asimilado muy bien, ejercieron su influencia. Por tanto, Lorca fue capaz de fundir lo tradicional con las técnicas de vanguardia. La unión es perfecta, pues *Yerma* es realmente la exteriorización de un drama completamente interno. Si Lorca hubiera decidido hacer de ella una obra surrealista, los únicos personajes serían Yerma, Juan y la Vieja 1.ª No podemos resaltar demasiado la modernidad de Lorca.

Juan estaba también en la romería. Oyó lo que la vieja decía a Yerma y le dice a su mujer: «Ha llegado el último minuto de resistir este continuo lamento por cosas oscuras, fuera de la vida; por cosas que están en el aire.» (P. 1.347.) Por ello, le dice que deje de atormentarse por cosas que ella no puede cambiar, que los humanos no entienden muy bien. No debe sentirse desgraciada porque no pueda cambiar su sino. No debe estar siempre triste «por cosas que no han pasado y ni tú ni yo dirigimos.» (P. 1.347.) Pero debemos observar que aquí hay dos posturas igualmente fuertes en cuanto a la falta de hijos de Yerma: una, su marido es estéril; dos, ella es yerma. Quizá ambos son ciertos, pero lo más importante es que Yerma siempre había creído en realidad que ella era la estéril, aunque no podía aceptarlo. Por tanto, aun en el momento en que acaba de oír que es estéril, y que su marido lo es también, la intensidad dramática no decrece.

Juan continúa diciéndole a Yerma que debe aceptar su destino y dejar de torturarse: «Por cosas que a mí no me importan. ¿Lo oyes? Que a mí no me importan. Ya es necesario que te lo diga. A mí me importa lo que tengo entre las manos. Lo que veo por mis ojos.» (P. 1.347.) Sabemos que Juan nunca quiso tener niños. El tenerlos o no le importaba poco. Por tanto, nunca hubo una voluntad mutua de tener hijos. Yerma está de rodillas y totalmente desesperada, diciéndole a Juan:

> Así, así. Eso es lo que yo quería oír de tus labios... No se siente la verdad cuando está dentro de una misma, pero ¡qué grande y cómo grita cuando se pone fuera y levanta los brazos! ¡No le importa! ¡Ya lo he oído! (P. 1.348.)

Un nuevo pensamiento se le exterioriza, una idea subordinada que afirma el drama incesante que hay en su interior.

Juan trata de convencerla de que ninguno de los dos es el culpable: «... No tenemos culpa ninguna.» (P. 1.348.) Ellos no tienen capacidad para decidir su potencia para tener niños, puesto que los factores responsables de ello quedan fuera de su control. Pero ella no aceptará fácilmente su opinión. Ella le interroga respecto a sus intenciones desde el principio de su matrimonio. Quiere saber qué buscaba en ella. Él responde: «A ti misma.» (P. 1.348.) Ella le dice que también buscaba paz y seguridad, y él lo admite. Ella insiste en saber si no buscaba también un hijo [20]. Responde violentamente: «¿No oyes que no me importa? ¡No me preguntes más!» (P. 1.348.) Continúa interrogándole: «¿Y nunca has pensado en él cuando me has visto desearlo?» (P. 1.349.) Su respuesta es: «Nunca.» (P. 1.349.) Ella quiere saber a qué atenerse en el futuro: «¿Y no podré esperarlo?» (P. 1.349.) Su respuesta nuevamente es: «No.» (P. 1.349.) El diálogo de frustración continúa. Ella pregunta: «¿Ni tú?» (P. 1.349.) Él replica: «Ni yo tampoco. ¡Resígnate!» (P. 1.349.) Resignarse es aceptar esa horrible y degradante palabra que ahora profiere: «¡Marchita!» (Página 1.349.) Juan continúa diciendo que debe resignarse: «Y a vivir en paz. Uno y otro, con suavidad, con agrado.» (P. 1.349.) Su aproximación la sobresalta, puesto que no busca nada más que a ella. Le pregunta: «¿Qué buscas?» (P. 1.349.) Contesta igual que antes: «A ti te busco. Con la luna estás hermosa.» (P. 1.349.) Ella replica: «Me buscas como

---

[20] Celia S. Lichtman nos habla del papel de la mujer, según los antiguos mitos religiosos: «La mujer no ve el marido o el amante en el varón; ve al hijo.» (Lichtman, *op. cit.*, p. 36.)

cuando te quieres comer una paloma.» (P. 1.349.) Ella no quiere ser objeto de esa clase de amor. Quizá le parece que se le pide demasiado. Tendría que dar mucho de sí misma, cuando lo que quiere es preservar su entrega para su hijo. Él le dice: «Bésame... así.» (P. 1.350.) Ella responde: «Eso nunca. Nunca.» (P. 1.350.) El amor por sí mismo, como lo concibe Juan, no es suficiente para Yerma [21]. Inmediatamente después, Lorca nos dice en sus instrucciones escénicas: «(Yerma da un grito y aprieta la garganta de su esposo. Éste cae hacia atrás. Le aprieta la garganta hasta matarle. Empieza el coro de la romería.)» Por tanto, la propia Yerma, en su desesperación y frustración, mata a su marido [22]. Mientras le está ahogando, Yerma dice: «Marchita, marchita, pero segura. Ahora sí que lo sé de cierto. Y sola.» (P. 1.350.) Se levanta ante el cuerpo de su marido y añade:

> Voy a descansar sin despertarme sobresaltada para ver si la sangre me anuncia otra sangre nueva. Con el cuerpo seco para siempre. (P. 1.350.)

Mira a la gente que viene hacia ella, diciéndoles: «¿Qué queréis saber? ¡No os acerquéis, porque he matado a mi hijo, yo misma he matado a mi hijo!» (P. 1.350.)

Al acabarse la obra, aún puede oírse el coro de la romería. Por tanto, la muerte ocurre simultáneamente con los ritos de fertilidad. Vemos los dos extremos del ciclo vital. Yerma, final e irrevocablemente, ha aceptado su sino. Vemos el destino y no la esterilidad, porque Lorca ha maniobrado diestramente en el linde de la verdad, dejándonos turbados. Yerma, sea ella o el marido el culpable de su matrimonio estéril, ahora que

---

[21] Respecto a la ausencia de amor mutuo entre Juan y Yerma, Francesca M. Colecchia dice: «García Lorca insiste aquí en un concepto del nacimiento completamente poético y espiritual, en que un hijo es el resultado del amor, la unión de dos amores.» (Colecchia, *op. cit.*, p. 65.)

[22] Celia S. Lichtman nos dice: «En las grandes religiones, en que la deidad masculina está subordinada a la gran divinidad femenina, ella es todo compasión, la dadora de vida y, al mismo tiempo, la terrible destructora que tiene el poder de convertir a los hombres en bestias. Sea su nombre Isis, Astarte o Ishtar, su función siempre se identifica con la divinidad que busca a su hijo en su amante y que, una vez obtenido (o frustrado, podríamos añadir), le destruye.» (Lichtman, *op. cit.*, pp. 36-37.)

está muerto, puede vivir marchita, como ella dice, pero segura. Su agitación ha terminado. Ya no se despertará sobresaltada por la noche, preguntándose ansiosamente y esperando que una nueva vida bulla en su interior. Además, como mujer sin hijos, puede enfrentarse al mundo mejor, porque su marido está muerto. Si más tarde se le pregunta por su falta de hijos, podrá decir que su marido murió cuando ella estaba en la flor de la vida y antes de que los tuvieran. Su respuesta implicaría que ella podía haber tenido niños. Tal es el significado de su afirmación de que ha matado a su hijo al matar a su marido. Termina sintiéndose segura en cuanto al tormento interior que ha vivido y con una gran posibilidad de elevación a través de su opinión de sí misma: El destino, que apunta desde el principio de la obra, alcanza pleno desarrollo al final. El drama termina, no porque el destino haya triunfado, sino porque Yerma finalmente lo acepta. Debemos recordar que el drama estaba basado en ella.

Debemos comentar ahora la escena de la romería desde el punto de vista de sus imágenes. En primer lugar, señalaremos de pasada la técnica de una acción dentro de otra. La escena de la romería tiene su propia autonomía y, sin embargo, está estrechamente relacionada con la acción principal. La ceremonia se realiza con el propósito de traer la fertilidad a las mujeres yermas o, mejor dicho, para fertilizarlas [23]. Lo sabemos, porque la Muchacha 1.ª nos lo dice: «El año pasado, cuando se hizo oscuro, unos mozos atenazaron con sus manos los pechos de mi hermana.» (P. 1.338.) Sabemos que la consumición de una gran cantidad de vino ayuda a este violento comportamiento sexual. Nuevamente la Muchacha 1.ª nos dice: «Más de cuarenta toneles de vino he visto en las espaldas de la ermita» [24]. (P. 1.338.) Y María dirige nuestra atención a: «Un río de hombres solos baja por esas sierras.» (P. 1.338.) La metáfora que usa María no es accidental. Los hombres están allí

---

[23] Celia S. Lichtman reconoce en los ritos de la romería un origen pagano y orgiástico. (Lichtman, *op. cit.,* p. 63.)

[24] Virginia Higginbotham contribuye a nuestra comprensión de esta ceremonia pagana, con sus placeres y pasiones entre la tristeza y penitencia de las mujeres estériles. Señala que los orígenes de la comedia tienen sus raíces en los primitivos ritos de fertilidad. (Higginbotham, p. 140.)

con el único propósito de fertilizar a las mujeres anteriormente «yermas». Su función es la misma que la del agua del río que fertiliza el terreno yermo. De ahí la presencia del agua en la figura. Las mujeres avanzan en procesión, descalzas, mientras empieza el canto:

> YERMA.
> Señor, que florezca la rosa,
> no me la dejéis en sombra.

> MUJER 2.ª
> Sobre su carne marchita
> florezca la rosa amarilla.

> YERMA.
> Y en el vientre de tus sierras
> la llama oscura de la tierra.

> CORO DE MUJERES.
> Señor, que florezca la rosa,
> no me la dejéis en sombra. (P. 1.338.)

Las mujeres se arrodillan y continúa el canto. Podemos observar sencillamente el uso del símbolo rosa, como vientre y órganos reproductores femeninos. En *Preciosa y el aire,* comentado en nuestra introducción, Lorca también usa la rosa refiriéndose a los genitales femeninos [25].

Parte de la ceremonia consiste en una danza. Lorca nos dice que hay muchacha hilando y haciendo girar las largas cintas que llevan en las manos. Sigue precisando en sus instrucciones escénicas: «... Hay en la escena como un crescendo de voces y de ruidos, cascabeles y collares de campanilleros.» (P. 1.340.) Hay tres muchachas mirando hacia atrás, y otras siete más arriba. El autor vuelve a decirnos en sus instrucciones escénicas: «Crece el ruido y entran dos Máscaras populares. Una como macho y otra como hembra. Llevan grandes caretas. El macho empuña un cuerno de toro en la mano. No son grotescos de ningún modo, sino de gran belleza y con un sentido

---

[25] San Cristóbal, el aire desnudo del sexo, dice a Preciosa: «Niña, deja que levante / tu vestido para verte. / Abre en mis dedos antiguos / la rosa azul de tu vientre.» (García Lorca, *Obras completas,* p. 427.)

de pura tierra...» (P. 1.340.) Por tanto, Lorca nos dice a través de símbolos que se está desarrollando una danza de fertilidad. También nos dice, mediante el uso de los cuernos, que habrá infidelidad; es decir, que las esposas serán infieles a sus maridos. Sabemos que la gran cantidad de vino consumido también facilitará el engaño conyugal. Las danzas y canciones se aceleran hasta un ritmo enloquecedor al caer la noche. El macho canta a la hembra, acercándosele cada vez más:

> Si tú vienes a la romería
> a pedir que tu vientre se abra,
> no te pongas un velo de luto,
> sino dulce camisa de holanda.
> Vete sola detrás de los muros,
> donde están las higueras cerradas,
> y soporta mi cuerpo de tierra
> hasta el blanco gemido del alba.
> ¡Ay, cómo relumbra!
> ¡Ay, cómo relumbraba;
> ay, cómo se cimbrea la casada! (P. 1.341.)

No es preciso insistir en las imágenes sensuales de la canción del macho: se sugiere una cita y la hembra soportará su cuerpo, que lleva dentro de sí la voluntad vital de la tierra. Al alba se oyen suspiros y la casada que vino a la romería relumbra y tiembla después del coito: el macho representa a los jóvenes que están allí para fertilizar a las mujeres hasta entonces yermas, cuya necesidad y sexualidad están representadas por la hembra.

Más tarde, la canción del macho aclara aún más el simbolismo expresado en las instrucciones escénicas:

> En esta romería
> el varón siempre manda.
> Los maridos son toros.
> El varón siempre manda,
> y las romeras, flores
> para aquel que las gana. (P. 1.342.)

Posteriormente, la danza y la canción se dirigen a Yerma:

> MACHO.
> Que se queme la danza
> y el cuerpo reluciente
> de la linda casada. (P. 1.343.)

Pero Yerma no responde sensualmente a tan poderosas sugerencias. Es entonces cuando la vieja quiere saber: «... dime, ¿para qué has venido?» (P. 1.343.) Ella responde que no lo sabe. La vieja es directa; le ofrece su hijo a Yerma, pero ella rechaza la oferta violentamente.

La romería, como rito de fertilidad, está relacionada con el determinismo en el sentido de que las ceremonias tratan de celebrar y exteriorizar una etapa natural y deseable del ciclo vital, que opera de acuerdo con su propio conjunto de esquemas con siglos de antigüedad. Estas mismas leyes de fertilidad deben operar positivamente dentro de Yerma. Los ritos nos dicen cómo. Pero Yerma, henchida de los valores de su sociedad, se mueve fuera de estas leyes más amplias y, quizá, más penetrantes. De ahí la razón de su dilema, que resuelve a través del asesinato. También su acto final, la muerte de su marido, está relacionado con el ciclo vital. Lorca, por tanto, prescinde de la moralidad o inmoralidad de su acción.

En nuestro comentario de *Yerma* hemos visto que el destino, que amenazaba desde el principio de la obra, se cerró finalmente sobre Yerma. El determinismo natural operaba a través de la opinión de Yerma sobre sí misma y de la herencia. Ella consideraba su papel estrictamente en términos de reproducción al nivel de todos los organismos vivos, y la herencia es examinada en un intento de comprender su preocupación. El papel del determinismo social también es doble: Yerma trataba de ajustarse a la imagen social de la madre y, sin embargo, el alto valor concedido al honor servía de freno para una conducta imprudente. Lo que engendra la terrible angustia y tensión en su interior, que constituye la obra, es la consciencia de Yerma de su vida vacía, en simples términos biológicos, como engendradora de vida, y en términos sociales, como madre, además de su profundo sentimiento de esterilidad y la sospecha de que su marido puede ser impotente. Esta tensión se agudiza aún más por su consciencia de las exigencias sociales del honor. Hemos visto también cómo las imágenes, principalmente en la escena de la romería, se utilizan para cargar la atmósfera con necesidades de fertilidad, la sensualidad y el abandono social necesario para proveer a esas necesidades, generalizando y objetivando la obsesión básica de Yerma en términos de una necesidad de la tierra: la perpetuación del eterno ciclo vital. Yerma no podía responder por sí sola a la necesidad reproductora: su creencia y respeto por el código moral de la sociedad era demasiado fuerte, a pesar de la tórrida y poderosa lección de fertilidad realizada ante sus propios ojos.

«LA CASA DE BERNARDA ALBA»

La casa de Bernarda Alba [26] está concebida enteramente en términos de libre albedrío y determinismo. Presenta en forma máxima, y con la mayor intensidad dramática, la lucha humana para defender el libre albedrío frente a fuerzas contrarias poderosas y debilitadoras. Empezaremos nuestro comentario centrándolo en la forma en que cada vuelta del libre albedrío es sofocada en un momento para buscar la luz en el siguiente, en el modo en que opera la densidad de estos giros y corrientes contrarias, refiriéndonos a algunos momentos clave en que toda la obra se resume estrictamente como una lucha.

Encontramos el primer momento clave en el acto II. Angustias, la hija mayor de Bernarda, tiene un pretendiente con el que espera casarse pronto. Ella define su situación de este modo: «Afortunadamente, pronto voy a salir de este infierno.» (P. 1.472.) El infierno es un lugar donde reina el diablo; los inquilinos son sus esclavos. Están condenados a sufrir y a responder sólo a los deseos del demonio. Son siempre conscientes del grado de su tortura y de un tiempo en que conocieron otra vida relativamente libre. Al calificar de infernales las condiciones de vida de la casa de su madre, Angustias sugiere una tiranía brutal, en que los habitantes quieren ser libres, pero están constantemente dominados por las fuerzas a las que han sido condenados. Examinaremos con más detenimiento esta metáfora en la sección dedicada a imágenes.

La siguiente indicación de la concepción total de la obra dentro del esquema del libre albedrío y el determinismo se encuentra también en el acto II. Martirio, Amelia y Poncia

---

[26] García Lorca, *Obras completas,* pp. 1.439-1.532.

están hablando de los niños adoptados, y Poncia se refiere a una familia feliz, en la que todos los niños han entrado en ella por adopción. Martirio le dice a Poncia que debería ir a trabajar allí, puesto que piensa que son todos tan felices. Su respuesta es: «No. Ya me ha tocado en suerte este convento.» (P. 1.484.) Emplea la palabra «convento» para referirse a la casa de Bernarda Alba. Sabemos que un convento está regido por una madre superiora, que tiene completa autoridad sobre las monjas de la orden. Éstas están sujetas a las reglas del convento, y su oportunidad de ejercer el libre albedrío es escasa o nula. Todos los aspectos de la vida están regulados. También en este caso deberemos dedicarle más tiempo en la sección dedicada a imágenes.

Nuevamente, encontramos otra referencia para apoyar nuestra tesis de que la obra está concebida en términos de libre albedrío y determinismo. En el acto III, Bernarda le dice a Poncia que, a pesar de sus predicciones, nada catastrófico ha ocurrido. Insiste en que su firmeza ha triunfado. La respuesta de Poncia es: «No pasa nada por fuera. Eso es verdad. Tus hijas están y viven como metidas en alacenas.» (P. 1.518.) Nuevamente, se hace referencia a personas que viven en una situación enteramente controlada y que no responde a las necesidades de los más interesados. En otras palabras, se niega totalmente el libre albedrío. En nuestra sección dedicada a las imágenes comentaremos esta figura con mayor amplitud.

La cuarta indicación que apoya nuestra tesis se encuentra en el acto III. La acción de la obra está ya muy avanzada, y la criada y Poncia comentan la catástrofe que se avecina. Poncia dice: «A mí me gustaría cruzar el mar y dejar esta casa de guerra.» (P. 1.521.) La califica de casa de guerra, justificando nuestra afirmación de que la obra presenta una lucha constante de los seres humanos por ejercer el libre albedrío frente a fuerzas contrarias poderosas. Volveremos sobre esta metáfora en la sección dedicada a imágenes.

Procedamos ahora a comentar el desarrollo de la lucha entre el libre albedrío y el determinismo, su carácter y su dinámica. Se concibe a Bernarda Alba como una voluntad dominante. Como su voluntad casi no tiene límites, las de los demás no pueden ser libres y deben someterse constantemente. Cuando la voluntad funciona tan poderosamente que no tiene en cuenta en absoluto a los demás, sino sólo a sí misma, es un instrumento de tiranía, o como tal podemos caracterizar a Bernarda.

La primera vez que Poncia habla de Bernarda, la califica de dominante: «¡Quisiera que ahora, como no come ella, que todas nos muriéramos de hambre! ¡Mandona! ¡Dominanta!» (P. 1.440.) Poco después, Poncia vuelve a aplicarle un calificativo parecido: «Tirana de todos los que la rodean.» (Página 1.441.) Más tarde veremos cómo Bernarda dedica todas sus energías a anular la voluntad de sus hijas y sus criadas. Poncia siente que toda su vida ha estado dominada por Bernarda. Ha estado trabajando para ella durante treinta años. Dice:

> Pero soy buena perra; ladro cuando me lo dicen y muerdo los talones de los que piden limosna cuando ella me azuza; mis hijos trabajan en sus tierras y ya están los dos casados, pero un día me hartaré. (P. 1.442.)

A continuación, Poncia generaliza su situación de pobreza y sumisión a Bernarda: «Nosotras tenemos nuestras manos y un hoyo en la tierra de la verdad.» (P. 1.443.) Ve su situación y la de otros como ella, los pobres, con una especie de impotencia y resignación. Es una situación que espera la muerte. Es el propio sino. La criada expresa su conformidad: «Ésa es la única tierra que nos dejan a las que no tenemos nada.» (P. 1.443.) Por tanto, considera los factores que controlan su situación como algo ajeno y externo a su capacidad para cambiarlos.

El primer ejemplo de la dominación de Bernarda sobre sus hijas aparece al principio del acto I. Magdalena está llorando. Bernarda quiere que deje de gemir y le dice: «Magdalena, no llores; si quieres llorar te metes debajo de la cama. ¿Me has oído?» (P. 1.446.) Es decir, que Bernarda quiere controlar la misma persona de Magdalena. Es un momento de luto para la familia, y Bernarda les dice a las muchachas cómo deberán emplear el tiempo:

> ... En ocho años que dure el luto no ha de entrar en esta casa el viento de la calle. Hacemos cuenta que hemos tapiado con la-

drillos puertas y ventanas. Así pasó en casa de mi padre y en casa de mi abuelo. Mientras podéis empezar a bordar el ajuar. (P. 1.451.)

No sólo establece las reglas que va a imponer, sino que, además, indica su inviolabilidad, basada en la tradición o determinismo cultural.

Tan pronto como Bernarda formula las normas de conducta de la casa, Magdalena se refiere al destino: su propio destino. Dice: «Sé que no me voy a casar. Prefiero llevar sacos al molino. Todo menos estar sentada días y días dentro de esta sala oscura.» (P. 1.452.)

Ella ya sabe cuál va a ser su sino respecto al matrimonio; pero, al menos, querría que le dejaran elegir de qué modo va a soportarlo. Bernarda le dice a Magdalena que el permanecer en casa es parte del papel asignado a las mujeres, invocando así el determinismo cultural. Sin embargo, Magdalena no puede aceptar fácilmente su suerte. Bernarda le dice que no tendrá más remedio: «Aquí se hace lo que yo mando. Ya no puedes ir con el cuento a tu padre. Hilo y aguja para las hembras. Látigo y mula para el varón. Eso tiene la gente que nace con posibles.» (P. 1.452.) Bernarda le hace saber a Magdalena que todos en la casa tendrán que hacer lo que ella diga. También es consciente del hecho de que no hay nadie que contravenga su voluntad. También tiene en cuenta y formula lo que tradicionalmente las personas de su posición social deben hacer; nuevamente invoca el poder del determinismo cultural y social.

También se introduce el determinismo natural en las primeras páginas de la obra. La criada dice que le ha costado mucho sujetar a María Josefa, la madre de Bernarda. He aquí el comentario de ésta: «Tiene a quien parecerse. Mi abuelo fue igual.» (P. 1.452.) Su afirmación supone que la fuerza de su madre no es sorprendente, invocando de este modo el poder de la herencia. Por tanto, al principio de la obra, ya está funcionando la tiranía, dominando el libre albedrío, hemos visto la introducción del destino y del determinismo social y cultural. La acción principal de la obra intensificará la interrelación entre estos elementos en la lucha.

A continuación pasamos a comentar el determinismo natural y social. Poncia habla de Paca la Roseta, que la noche anterior había atado a su marido y le había dejado en casa mientras pasaba la noche de orgía con otros hombres. Cuando Bernarda dice que Paca es la única mujer mala que hay en el pueblo, Poncia responde: «Porque no es de aquí. Es de muy lejos. Y los que fueron con ella son también hijos de forasteros. Los hombres de aquí no son capaces de eso.» (P. 1.456.) En otras palabras, la gente del pueblo respeta ciertas tradiciones de decencia. Los forasteros tienen otras costumbres, tan fuertes que hasta sus hijos las heredan. Poncia le dice a Bernarda que los hombres estaban hablando de Paca la Roseta y sus promiscuas actividades. Cuando Bernarda se entera de que Angustias estuvo oyendo lo que decían los hombres, replica: «Ésa sale a sus tías; blancas y untuosas, y que ponían los ojos de carnero al piropo de cualquier barberillo.» (P. 1.456.) Según las palabras de Bernarda, Angustias ha heredado su sangre y su manera de ser. Es un ejemplo de determinismo natural.

Poncia le dice a Bernarda que sus hijas están en una edad en que necesitan hombres. Por tanto, viendo a las muchachas desde el punto de vista de sus necesidades fisiológicas y psicológicas, en términos de determinismo natural, Poncia le dice a Bernarda:

> Es que tus hijas están ya en edad de merecer. Demasiado poca guerra te dan: Angustias ya debe tener mucho más de los treinta. (P. 1.457.)

Pero aun planteándose la cuestión en forma tan inofensiva, Bernarda no deja que nada discurra en contra de sus deseos. Su reacción ante lo que dice Poncia es la siguiente: «¡No ha tenido novio ninguna ni les hace falta! Pueden pasarse muy bien.» (P. 1.457.) Pueden vivir sin relaciones con los hombres porque Bernarda lo dice.

Bajo las condiciones dictadas por su madre, Martirio encuentra la vida sin sustancia. Su vida será la misma, haga lo que haga. Debe resignarse. Las cosas deben seguir un curso determinado, predestinado. Ni siquiera toma su medicina: qué más daría, si «yo hago las cosas sin fe, pero como un reloj». (P. 1.458.) Por lo que se refiere a Martirio, todo da lo mismo. Cuando Amelia se pregunta: «Ya no sabe una si es mejor tener novio o no» (P. 1.459.), la respuesta de Martirio es: «Es lo mismo.» (P. 1.459.) Por tanto, Martirio ve sus circunstancias y su vida desde el punto de vista de su impotencia para cambiarlas; es decir, de su sino.

Amelia y Martirio hablan de una joven llamada Adelaida. Su historia es la siguiente:

> ... Su padre mató en Cuba al marido de su primera mujer para casarse con ella. Luego aquí la abandonó y se fue con otra que tenía una hija, y luego tuvo relaciones con esta muchacha, la madre de Adelaida, y se casó con ella después de haber muerto loca la segunda mujer. (P. 1.459.)

Martirio dice que su madre, Bernarda, siempre encuentra la forma de hacer que Adelaida se sienta avergonzada de sus antecedentes. Amelia responde que ella no tiene la culpa. Martirio, que ha estado refiriéndose al destino a lo largo de toda la obra, insiste en el mismo a través del determinismo natural. Contra la afirmación de Amelia de que Adelaida no tiene la culpa, dice: «No. Pero las cosas se repiten. Y veo que todo es una terrible repetición. Y ella tiene el mismo sino de su madre y de su abuela, mujeres las dos del agua que la engendró.» (P. 1.460.) En otras palabras, puede predecirse el sino de Adelaida, basándose en sus antecedentes. Está unida a ellos. No se le atribuye libertad para liberarse de su destino. La forma en que Martirio concibe a los hombres es totalmente determinista y negativa. Cuando Amelia le pregunta por qué no está en la cárcel el padre de Adelaida, contesta: «Porque los hombres se tapan unos a otros las cosas de esta índole y nadie es capaz de delatar.» (P. 1.459.) Más tarde dice: «Es preferible no ver a un hombre nunca.» (P. 1.460.) Y continúa: « ¡Qué les importa a ellos la fealdad! A ellos les importa la tierra, las yuntas y una perra sumisa que les dé de comer.» (P. 1.460.) Ve la naturaleza masculina como algo fijo, incapaz de cambiar. Existe una influencia maligna, codiciosa y opresora que no puede modificarse. Más tarde veremos que Pepe el Romano, la única figura masculina importante de la obra, coincide exactamente con la forma en que Martirio considera a los hombres. Por tanto, veremos un ejemplo viviente y en acción del hombre, con su corrompida naturaleza fija y predeterminada.

A continuación, las hermanas hablan de Adela, la más joven. A pesar del luto y de las órdenes de su madre sobre las prácticas que deben observarse durante el transcurso del mismo, Adela se ha puesto un vestido de color: «Se ha puesto el traje verde que se hizo para estrenar el día de su cumpleaños...» (P. 1.462.) Adela ya está buscando alternativas y realizando elecciones. Ya ha empezado a ejercer el libre albedrío. «Si su madre la viera», dice Amelia. Y Magdalena añade: «¡Pobrecilla! Es la más joven de nosotras y tiene ilusión.» (P. 1.462.) Magdalena está diciendo que Adela siente anhelos de libertad, de que le dejen ser feliz. Da a entender que sabe que Adela no podrá realizar sus ilusiones. Sin embargo, como ya hemos visto, Adela no cree que su felicidad esté completamente fuera de su control. Es ella la que hará de la lucha entre el libre albedrío y el determinismo un duelo furioso.

Las muchachas continúan murmurando. Magdalena dice de Pepe el Romano, que está haciendo la corte a Angustias: «Si viniera por el tipo de Angustias, por Angustias como mujer, yo me alegraría; pero viene por el dinero.» (P. 1.463.) Magdalena ve a Pepe del mismo modo que Martirio ha caracterizado anteriormente a los hombres. Dice: «¡Después de todo dice la verdad!» (P. 1.464.) Por tanto, tenemos tres opiniones concurrentes sobre el egoísmo de los hombres. La naturaleza masculina predeterminada alcanzará un ulterior desarrollo a medida que la obra avanza.

Nuevamente aparece una nota de determinismo natural. Las muchachas están todavía murmurando sobre la incongruencia del matrimonio entre Pepe y Angustias. Magdalena describe a su hermana como «... una mujer que, como su padre, habla con las narices.» (P. 1.464.) Es decir, que si Angustias habla con la nariz, es porque lo hacía su padre.

Adela expresa su oposición a las condiciones impuestas para el luto: «Pienso que este luto me ha cogido en la peor época de mi vida para pasarlo.» (P. 1.466.) Ella ya está indicando que desea elegir. También añade que nunca llegará a aceptar las condiciones del luto:

> No me acostumbraré. Yo no puedo estar encerrada. No quiero que se me pongan las carnes como a vosotras; no quiero perder

mi blancura en estas habitaciones: mañana me pondré mi vestido
verde y me echaré a pasear por la calle. ¡Yo quiero salir!
(P. 1.466.)

Por tanto, debe hacer su voluntad. Tomará su elección,
aunque no se le deje opción. Ve su posible sino, el sufrimiento,
la frustración y el deterioro físico de sus hermanas, si no toma
una decisión. Optará por el libre albedrío en un intento de engañar a su destino.

Como se nos confirmará más adelante, Adela está enamorada de Pepe. Le sorprende que esté cortejando a Angustias.
Dice: «Y ese hombre es capaz de...» (P. 1.466.) El esquema
determinista concebido para los hombres va rellenándose con
trazos más firmes a medida que el carácter de Pepe se revela
y desarrolla.

Adela no es la única que se opone a los deseos de Bernarda. También Angustias, fortalecida por la perspectiva de su
matrimonio, toma su opción, a pesar de los deseos de su madre.
Cuando se maquilla, Bernarda objeta: «Pero ¿has tenido valor
de echarte polvos en la cara? ¿Has tenido valor de lavarte la
cara el día de la muerte de tu padre?» (P. 1.468.) Bernarda
ordena a su hija que se quite los polvos y acto seguido se los
limpia ella misma, porque Angustias obedece con demasiada
lentitud. Lorca dice en sus instrucciones escénicas: («Le quita
violentamente con un pañuelo los polvos.)» (P. 1.469.) Bernarda controla la situación haciendo uso de su fuerza física y
frustrando a Angustias, que se atrevió a ejercer su voluntad.
Bernarda también le lanza unos cuantos epítetos: « ¡Suavona!
¡Yeyo! ¡Espejo de tus tías!» (P. 1.469.) Nuevamente, se
alega que Angustias ha heredado las malas costumbres de sus
tías. Una vez más, se sugiere el determinismo natural.

Bernarda aprovecha la ocasión que le proporciona la débil
rebelión de Angustias para decir a toda la familia que seguirá
gobernándolo todo hasta que se muera, confirmando así nuestra acusación de tiranía. Dice: «No os hagáis ilusiones de que
vais a poder conmigo. Hasta que salga de esta casa con los
pies adelante mandaré en lo mío y en lo vuestro.» (P. 1.470.)

Al final del acto I aparece María Josefa. Es la voz del destino. Nos dice cuál será la suerte de las hijas de Bernarda:
«... Ninguna de vosotras se va a casar. ¡Ninguna!» (P. 1.470.)

Habla de su terrible sino aludiendo a su situación actual. Quiere escapar para casarse, porque «... No quiero ver a estas mujeres solteras rabiando por la boda, haciéndose polvo el corazón, y yo me quiero ir a mi pueblo.» (P. 1.470.) Vemos que las muchachas se consumen por casarse. Su destino es más cruel porque desean y necesitan el matrimonio.

María Josefa está hablando demasiado. Lo que dice es inquietante: «Me escapé porque me quiero casar.» (P. 1.470.) En otras palabras, las que quieran casarse deben también escapar. Aunque es la voz del destino, también nos dice cómo huir de él. Bernarda ordena a las criadas: « ¡Encerradla! » (P. 1.470.) La tirana ha de sofocar la libertad de expresión. Ésta es un instrumento del libre albedrío.

Conviene recordar que se han caracterizado las condiciones en que vive Angustias como un infierno y que ella, consciente de éstas, espera escapar. Inmediatamente después, en el acto II, Magdalena le dice que no podrá evitar su destino: « ¡A lo mejor no sales! » (P. 1.472.) Vemos que Magdalena insiste en el sino de Angustias. María Josefa ya ha aludido a la suerte de todas sus nietas.

Poncia refuerza la idea de que los hombres tienen una naturaleza prefijada. Aconseja a las muchachas y especialmente a Angustias, que está a punto de casarse:

> ... A vosotras, que sois solteras, os conviene saber de todos modos que el hombre, a los quince días de boda, deja la cama por la mesa, y luego la mesa por la tabernilla, y la que no se conforme, se pudre llorando en un rincón. (P. 1.476.)

Por tanto, se acentúa aún más la representación negativa de los hombres, como símbolo de la infelicidad, en base al determinismo natural. El hombre no puede cambiar su naturaleza. Cada varón se limita a demostrar en forma personal las leyes irrefutables que actúan en su interior. Pepe no será sino un ejemplo más. Poncia aporta una experiencia personal. Su marido se ajustaba perfectamente a ese esquema, pero ella fue capaz de medir sus fuerzas con él. Dice: «Sí, y por poco si le dejo tuerto.» (P. 1.477.) Añade que, en cuanto a su trato con los hombres, es igual que Bernarda, que sabe muy bien cómo manejarlos: «Yo tengo la escuela de tu madre. Un día me dijo no sé qué cosa y le maté todos los colorines con la mano del almirez.» (P. 1.477.)

Más tarde Martirio pregunta a Adela cómo durmió la noche anterior. Ésta sospecha que la pregunta es demasiado inquisitiva. Le responde a Martirio: «¡Déjame ya! ¡Durmiendo o velando, no tienes por qué meterte en lo mío! ¡Yo hago con mi cuerpo lo que me parece!» (P. 1.479.) Adela ha afirmado su independencia. Hará lo que le plazca con su cuerpo, ejercerá su libertad de opción entre las alternativas que se abren ante ella; será su propia perspectiva, su manera de ver las cosas, la que considerará cuáles son sus alternativas. Pero no ignora cómo ciertas intromisiones parecen limitar su libertad de elección. Sabe que sus hermanas la vigilan para censurar sus acciones. Esto es lo que expresa realmente cuando le dice a Martirio: «Interés o inquisición. ¿No estabais cosiendo? Pues seguir. ¡Quisiera ser invisible, pasar por las habitaciones sin que me preguntarais adónde voy!» (P. 1.479.) A Adela le interesa mucho su libre albedrío. Cree que la invisibilidad proporciona las máximas posibilidades para ejercerlo. Si nadie puede verla, nadie puede evitar sus actos. Expresa hasta qué punto se siente perseguida por sus hermanas. Cree que esta persecución es un intento de salir al paso de su capacidad para tomar decisiones:

> Me sigue a todos lados. A veces se asoma a mi cuarto para ver si duermo. No me deja respirar. Y siempre: ¡Qué lástima de cara!» «¡Qué lástima de cuerpo que no vaya a ser para nadie!» ¡Y eso no! Mi cuerpo será de quien yo quiera. (P. 1.479.)

Lorca plantea aquí en forma más firme la idea del cuerpo (soma) como fuerza poderosa. Debido a las demandas del cuerpo, en este caso el deseo sexual, Adela se afirmará con tal fuerza que el código moral y social carecerá de significado para ella. Es interesante observar la primacía del cuerpo en su jerarquía de valores. Proclama su libertad como el derecho a usar su cuerpo en la forma que mejor le plazca.

Proclama su libertad y también el cese de la persecución. Siente que esta última es especialmente importante porque la conduce al destino que sabe que pende sobre ella y que ella misma ha formulado. Además, la propia persecución tiende a garantizar la consumación del sino. Contra ellos proclama su libre albedrío con toda la fuerza de que es capaz. Ella entregará su cuerpo a quien quiera. Es más, ya ha tomado medidas para asegurar el triunfo de su voluntad. Poncia la acusa: «... ¿Por qué te pusiste casi desnuda, con la luz encendida y la ventana abierta, al pasar Pepe el segundo día que vino a hablar con tu hermana?» (P. 1.481.) Está actuando en forma positiva para realizar sus deseos. Su forma de actuar se enfrenta con los valores de la sociedad[27]. Pepe está cortejando a su hermana mayor, lo que constituye una relación que ella debería respetar. Pero no considera las exigencias de la sociedad en este caso como una limitación a su libertad de elección. Las tradiciones podrán actuar, en general, como determinismo social, pero ella insistirá en el triunfo del libre albedrío.

Poncia le dice a Adela que no trate de asegurarse el amor de Pepe. Que espere a que Angustias se muera y luego se case con él. «... pero no vayas contra la ley de Dios.» (P. 1.481.) Lo que Poncia le está diciendo es que debe respetar la tradición, las leyes del determinismo social. Pero esto es precisamente lo que Adela no está dispuesta a hacer. Poncia basa su opinión de un matrimonio seguro entre Adela y Pepe, tras la muerte de Angustias, estrictamente en términos de determinismo natural. No cabe duda de que Pepe deseará ese matrimonio. Es un hombre, y los hombres actúan en ciertas formas previsibles: «... Pepe hará lo que hacen todos los viudos de esta tierra: se casará con la más joven, la más hermosa, y ésa serás tú.» (P. 1.481.)

Adela no va a seguir el consejo de Poncia. No esperará a que Angustias muera. Poncia ve la catástrofe que se avecina. La familia no podrá escapar a ella. He aquí cómo expresa su preocupación por el destino de la casa: «No os tengo ley a ninguna, pero quiero vivir en casa decente. ¡No quiero mancharme de vieja!» (P. 1.482.) La respuesta de Adela indica que el destino ya está en marcha, que las cosas tienen que seguir su curso: «Es inútil tu consejo. Ya es tarde. No por encima de ti, que eres una criada; pero por encima de mi madre sal-

---

[27] Hemos observado que Thamar observa la misma clase de comportamiento en *Thamar y Amnón*.

taría para apagarme este fuego que tengo levantado por piernas y boca.» (P. 1.482.) Por lo que a Adela respecta, es demasiado tarde para detener el curso del destino. Ella hará lo que debe hacerse por encima de todos. No considera que está realizando una elección libremente. Se ve a sí misma como un instrumento de las fuerzas que operan en su interior. El fuego que arde dentro de ella debe apagarse. Alude a sus necesidades fisiológicas, que son las que determinan a qué estímulo va a responder. Se refiere al determinismo natural. Más tarde será explícita.

Adela resalta la actuación del sino. Dice que nadie puede detener lo que está destinado a ocurrir: «Trae cuatro mil bengalas amarillas y ponlas en las bordas del corral. Nadie podrá evitar que suceda lo que tiene que suceder.» (P. 1.482.) Describe las fuerzas naturales que operan para realizar su destino. Dice de Pepe: «... Mirando sus ojos me parece que bebo su sangre lentamente.» (P. 1.482.)

El libre albedrío vuelve a pasar a primer plano cuando vemos a Angustias, mayor y más apegada a las tradiciones que sus hermanas, tratar de evitar lo que podría ser su sino, lo que otros han insinuado que será su destino. A pesar de la opinión contraria de su madre, hace que Poncia le traiga cosméticos. Le pregunta: «¿Me compraste el bote de esencia?» (P. 1.483.) A lo que Poncia responde: «El más caro. Y los polvos. En la mesa de tu cuarto los he puesto.» (P. 1.483.)

Hasta el momento Bernarda ha conseguido controlar a sus hijas porque éstas, como ella misma, creen en la fuerza de la tradición, del determinismo cultural. Cuando Adela, la menos tradicional, se lamenta porque no puede salir a los campos y ser tan despreocupada como los jóvenes segadores inmigrantes que vuelven del trabajo, Magdalena le dice: «¡Cada clase tiene que hacer lo suyo!» (P. 1.485.)

Al ver pasar a los jóvenes, Poncia habla del comportamiento de los hombres. Dice:

> Anoche llegó al pueblo una mujer vestida de lentejuelas y que bailaba con un acordeón, y quince de ellos la contrataron para llevársela al olivar. Yo los vi de lejos. El que la contrataba era un muchacho de ojos verdes, apretado como un gavilla de trigo. (P. 1.485.)

Añade que los trabajadores hicieron como todos los hombres. Tienen ciertos intereses, deseos, necesidades fisiológicas y psicológicas y su naturaleza es inmutable: «Hace años vino otra de éstas, y yo misma di dinero a mi hijo mayor para que fuera. Los hombres necesitan estas cosas.» (P. 1.486.) No cabe duda de que no está satisfecha con la doble moral: una, liberal, tolerante, para los hombres; la otra, estricta, para las mujeres. Amelia confirma la insinuación de una moral doble: «Nacer mujer es el mayor castigo.» (P. 1.486.) Las reglas de la sociedad son tan cerradas, tienen tal poder para determinar las propias acciones, que el nacer mujer es en sí mismo la peor de las penas.

Sin embargo, Adela no va a contentarse con dejar las cosas como están. No es suficiente aceptar el castigo de haber nacido mujer. Quiere la libertad de los trabajadores, y así lo expresa: «Me gustaría segar para ir y venir. Así se olvida lo que nos muerde.» (P. 1.487.)

Los humanos viven en la naturaleza y están gobernados por sus leyes, lo mismo que los animales. Es en verano, y Martirio protesta de la alta temperatura: «Me sienta mal el calor.» (P. 1.488.) Quiere un tiempo más fresco: «Estoy deseando que llegue noviembre, los días de lluvias, la escarcha, todo lo que no sea este verano interminable.» (P. 1.488.) Aunque el calor le produce un efecto adverso, tiene que esperar a que haga un tiempo más fresco. Existen limitaciones para la comodidad deseada. El calor del verano interminable podría ser también una exteriorización de la fiebre sexual de Martirio. Ella, como sus hermanas, ha estado totalmente reprimida. Y lo que es peor: está enamorada de Pepe y, como Adela observará más tarde, no se atreve a tratar de conquistarle. Posteriormente, en nuestros comentarios de las imágenes, indicaremos la importancia de esta referencia dentro de la trama total de la obra. Amelia responde a Martirio: «Ya pasará y volverá otra vez.» (P. 1.488.) En otras palabras, el hombre no puede interrumpir el ciclo de las estaciones, a pesar de que le afectan. Al igual que éstas, que son manifestaciones del determinismo natural, también en los asuntos de los hombres existe una constante repetición de estados anteriores. Se formuló anteriormente en el caso de Adelaida.

A una hora avanzada de la noche se oye ruido en el corral. Amelia dice que probablemente será el furor de una mulilla sin desbravar. Martirio asiente, pero Lorca dice que lo hace («Entre dientes y llena de segunda intención»). (P. 1.489.) Lo mencionamos simplemente para indicar que la domesticación del animal, en la mente de Martirio, se relaciona con el resto de la acción de la obra. También nosotros pensamos que está conectado con la necesidad de libertad y autoexpresión en el contexto del determinismo. Funciona aquí como un símbolo y, por esa razón, preferiríamos tratarlo en la sección dedicada a imágenes.

Angustias no puede encontrar su querida fotografía de Pepe. Una de sus hermanas la ha cogido. Bernarda considera esto como un síntoma grave. Podría suponer un comportamiento escandaloso. Ve el sino flotando en el aire y le dice a las muchachas: «Me hacéis al final de mi vida beber el veneno más amargo que una madre puede resistir.» (P. 1.492.) Tanto preocupa a Bernarda este incidente que, cuando por fin se sabe que ha sido Martirio la que tomó la fotografía, la golpea varias veces, diciendo: «Mala puñalada te den, ¡mosca muerta! ¡Sembradura de vidrios!» (P. 1.493.) Las últimas palabras de Bernarda indican la gravedad que atribuye al incidente. Martirio es la sembradura del castigo y de la calamidad para toda la familia. Las semillas que Martirio ha sembrado germinarán, más tarde se cosecharán los frutos. Bernarda concibe la situación en base al determinismo natural. Hasta Martirio, que hasta el momento ha sido la voz del destino, defiende su integridad como ser humano. No quiere que se la viole, que se la tiranice. Le dice a Bernarda: «¡No me pegue usted, madre!» (P. 1.493.), y a continuación: «¡Retírese usted!» (P. 1.493.) Además, tratará de frustrar los extremos de la tiranía en la medida en que le sea posible. Afirma su libre albedrío al decirle a su madre: «No voy a llorar para darle gusto.» (P. 1.494.)

Como resultado del incidente de la fotografía de Pepe, parece tener lugar una disputa entre las hermanas. Bernarda califica la situación en base al destino: «... Yo veía la tormenta venir, pero no creía que estallara tan pronto.» (P. 1.495.) No podía ocurrir de otro modo. Pero no va a rendirse a la tormenta del sino; al menos, hará algo para asegurarse de que

todo el pueblo lo ignora. Dice a sus hijas: «... Pero todavía
no soy anciana y tengo cinco cadenas para vosotras y esta casa
levantada por mi padre para que ni las hierbas se enteren de
mi desolación» [28]. (P. 1.495.) La guerra que tiene lugar en el
interior de la casa, como mencionamos al principio de nuestro
comentario, y a la que se refiere Poncia, se está desarrollando.
En realidad es una guerra en la que el libre albedrío trata de
sobrevivir contra la tiranía, el destino y el determinismo.

Poncia, con una nueva determinación al concepto determinista del hombre, concretamente aplicado a Pepe, dice que hay
que sacarle de casa lo antes posible: «... A él hay que alejar
de aquí.» (P. 1.496.) No sólo está pensando en el efecto de
Pepe sobre las muchachas, sino en las respuestas que ellas no
podrán controlar. También ella las considera en términos de
sus necesidades biológicas. Poncia le dice a Bernarda que su
tiranía ha contribuido a la depravación de las muchachas:
«... pero tú no has dejado a tus hijas libres.» (P. 1.498.)
Poncia se refiere concretamente al hecho de que Bernarda
rechazó a Enrique Humanas como pretendiente de Martirio.
Ella contesta que su hija tendrá que olvidar la atracción que
haya podido sentir por él, «Y si no lo olvida, peor para ella.»
(P. 1.498.) En otras palabras, los deseos de Martirio no le
preocupan en absoluto.

Bernarda reconoce nuevamente el poder del sino y el determinismo cuando le dice a Poncia: « ¡Yo sí sé mi fin! ¡Y el
de mis hijas! El lupanar se queda para alguna mujer ya difun-
ta.» (P. 1.499.) Hiere a Poncia refiriéndose a la mala reputación de su madre.

Bernarda admite que, a pesar de sus esfuerzos por moldear-
lo todo según sus deseos, no todo discurre como ella quisiera:
«Las cosas no son nunca a gusto nuestro.» (P. 1.500.) En otras
palabras, las cosas tienen un esquema propio, que ignora los
deseos de los seres humanos. El sino existe. Poncia refuerza
esta idea aludiendo a la impotencia de las personas para cam-

[28] Francesca M. Colecchia ha observado el excesivo orgullo de Bernarda, que a menudo se expresa a través de su necesidad de secreto y
de una fuerte manifestación del honor. La exagerada preocupación por
la honra de Bernarda —dice Colecchia— se convierte en obsesión, ce-
gándola ante las necesidades reales y lamentable estado emocional de
sus hijas. (Colecchia, *op. cit.*, p. 75.)

biar el curso de los acontecimientos: «Pero les cuesta mucho trabajo desviarse de la verdadera inclinación. A mí me parece mal que Pepe esté con Angustias, y a las gentes, y hasta al aire. ¡Quién sabe si saldrán con la suya!» (P. 1.500.) Sabemos lo que ocurrió al final. El sino se cumplió. Pepe tomó a Adela consigo, en términos emocionales y sensuales, y Angustias se quedó como debía quedarse: sin amor y plantada.

Bernarda todavía cree que su influencia puede contrarrestar las fuerzas que operan en sus hijas. Para conseguirlo depende de los efectos de su tiranía y de la fuerza del orden social. Dice: «Afortunadamente mis hijas me respetan y jamás torcieron mi voluntad.» (P. 1.500.) Poncia le advierte: «... Pero en cuanto las dejes sueltas se te subirán al tejado.» (P. 1.500.) Bernarda dice que, si se atreviesen a contravenir sus deseos, las dominaría brutalmente: «¡Ya las bajaré tirándolas cantos!» (P. 1.501.) Cuando Angustias reclama su derecho a enterarse de las actividades de Pepe, su prometido, Bernarda le dice: «Tú no tienes derecho más que a obedecer. Nadie me traiga ni me lleve.» (P. 1.503.) Luego se vuelve a Poncia, que ha llevado las cosas demasiado lejos insistiendo en que Pepe se marchó a las cuatro y no a la una, como había dicho Angustias: «Y tú te metes en los asuntos de tu casa. ¡Aquí no se vuelve a dar un paso sin que yo lo sienta!» (P. 1.503.) Bernarda decidirá por Angustias lo que es importante. Aunque quiere saber lo que ocurre, reprende a Poncia por hablar demasiado. Bernarda no tiene en cuenta los deseos de nadie. Como buen tirano, todo lo decide ella.

Cuando Adela y Martirio disputan por las atenciones de Pepe, ésta dice que vio a Pepe abrazando a aquélla. Adela replica: «Yo no quería. He sido arrastrada por una maroma.» (P. 1.504.) De este modo asegura que, aunque no quería ir con Pepe, no pudo resistirle. Algo fuera de su control la arrastró. Estaba sujeta a una maroma. No pudo ejercer su voluntad.

Inmediatamente después se produce una conmoción. Los hombres del pueblo están castigando a una joven por abandonar a su hijo: «La hija de la Librada, la soltera, tuvo un hijo no se sabe con quién.» (P. 1.505.) Debemos observar que la muchacha que abandonó a su niño tiene que haber sido promiscua, puesto que no conoce la paternidad de la criatura.

También conviene observar su vil acción: el abandono del niño. Aún es más importante el factor del parentesco. A su madre la llaman la soltera y su apodo sugiere una mala reputación. De este modo se da entrada al determinismo natural. Este incidente viene seguido de la tiránica actitud de Bernarda. Desea que los hombres acaben con la muchacha antes de que la Policía entre en escena: «¡Acabad con ella antes de que lleguen los guardias! Carbón ardiendo en el sitio de su pecado.» (P. 1.506.) Carece completamente de compasión. Recomienda la violencia, la crueldad para cualquiera que «... pisotea la decencia». (P. 1.505.) Sería capaz de cometer un asesinato en nombre de la moralidad. La decencia está basada en las normas del orden social; sin embargo, Bernarda, que afirma que el orden social debe preservarse, recomienda que se tomen la justicia por su mano. Lo que ella deplora por encima de todo es el hecho de que la muchacha, al tener relaciones promiscuas, no justifique y confirme su propia postura de decencia. Nadie debe atreverse a hacer lo que ella, Bernarda, no hace [29].

Bernarda aplica sus reglas de hierro a la gente que queda fuera de su familia inmediata. Prudencia, una amiga de la familia, se entristece porque no ha habido reconciliación entre su marido y su hija. Bernarda le dice que el marido de Prudencia hace bien en no perdonarla. Añade: «Una hija que desobedece deja de ser hija para convertirse en enemiga.» (P. 1.507.) Desde su punto de vista, la naturaleza ha hecho a las hijas para obedecer. Una hija no tiene oportunidad de tomar opciones ni de ejercer su libre albedrío. Su afirmación también describe los requisitos de sus hijas.

Prudencia, por otra parte, se ha resignado a las tensas relaciones existentes entre su hija y su marido: «Yo dejo que el agua corra.» (P. 1.507.) No se considera apta para enfrentarse a la situación. Lo que en realidad quiere son relaciones agradables y armoniosas entre el padre y la hija, pero deja que las cosas sigan su curso. Algún poder exterior a ella manejará la situación.

---

[29] Francesca M. Colecchia sugiere que la propia Bernarda se vio frustrada sexualmente y en otros aspectos en sus dos matrimonios. (Colecchia, *op. cit.*, p. 74.)

Antes de que Prudencia se marche oímos a un animal pateando y relinchando. A Bernarda no le sorprende. Le dice a Prudencia que es «el caballo garañón, que está encerrado y da coces contra el muro». (P. 1.508.) Añade: «Trabadlo y que salga al corral. (*En voz baja.*) Debe tener calor.» (P. 1.508.) Prudencia le pregunta: «¿Vais a echarle las potras nuevas?» (P. 1.508.), y Bernarda responde: «Al amanecer.» (P. 1.508.) Vemos que Bernarda tiene muy en cuenta las exigencias de la naturaleza: los animales necesitan aparearse y están llenos de violencia que trata de liberarse satisfaciendo esta necesidad. Es también el proceso por el que las especies se multiplican y conservan. Sin embargo, se niega a admitir que sus hijas también experimentan esas mismas necesidades animales. Por lo que a ella respecta, sus hijas no tienen necesidades que satisfacer. Aunque reconoce el determinismo natural en el caso de los animales, se niega a aceptarlo cuando se trata de sus hijas. Hasta eso rehusa admitir su voluntad tiránica. Por tanto, presenta en su interior una contradicción básica. El relinchar del caballo también está relacionado con las imágenes; lo comentaremos en esa sección. Cuando el caballo sigue relinchando en forma incontrolable, Bernarda insiste en que se le deje libre. Sin embargo, quiere que las potras se queden dentro: «¿Hay que decir las cosas dos veces? ¡Echadlo que se revuelque en los montones de paja! ... Pues encerrad las potras en la cuadra, pero dejadlo libre, no sea que nos eche abajo las paredes.» (P. 1.509.) Su comprensión de las necesidades del caballo es aguda. Al menos, la libertad de momento para que libere parte de su energía es un sustitutivo temporal del impulso sexual. Prudencia compara el comportamiento del caballo con el de un varón: «Bregando como un hombre.» (P. 1.509.) De este modo se ponen en relación las necesidades corporales de los animales y de los humanos. Bernarda, sin embargo, se niega a admitir que tales leyes tengan vigencia para sus hijas.

Inmediatamente después del incidente del caballo, Adela se levanta a beber agua para calmar su sed. De nuevo señalamos la importancia del caballo como parte de las imágenes. Ello se hace aún más evidente por la forma en que Bernarda maneja la situación. Le dice a Adela que se siente, que ella mandará que le traigan agua.

Antes de salir, Prudencia le pregunta a Angustias si ha recibido su anillo de compromiso. Angustias se lo muestra orgullosamente a Prudencia, que reacciona diciendo: «Es precioso. Tres perlas. En mi tiempo las perlas significaban lágrimas.» (P. 1.510.) Lo que dice Prudencia alude a algo que va a ocurrir. En este caso, Lorca utiliza la superstición popular para sugerir el destino. Angustias, que está un poco más animada, dice que las cosas han cambiado; pero Adela, que en el esquema de las cosas es el instrumento del destino, insiste en que no han cambiado en absoluto: «Yo creo que no. Las cosas significan siempre lo mismo. Los anillos de pedida deben ser de diamantes.» (P. 1.510.) Bernarda, sin embargo, espera que las cosas respondan a sus deseos. Ignora la sugestión de la superstición. Su respuesta en cuanto a la pendiente infelicidad simbolizada por las perlas es: «Con perlas o sin ellas, las cosas son como uno se las propone.» (P. 1.510.) Pero Martirio vuelve a la perspectiva de la incapacidad de los humanos para cambiar el curso de los acontecimientos: «O como Dios dispone.» (P. 1.511.) Bernarda trata de sofocar cualquier pensamiento sobre la posibilidad de desgracia: «No hay motivo para que no lo sea.» (P. 1.511.)

La noche es calurosa, y Adela, que antes quería agua para calmar su sed, dice que va a caminar hasta el portón para estirar las piernas. Cuando Martirio dice que ella también va a dar un paseo, Adela vuelve a sentirse perseguida, como si alguien estuviera actuando para inhibir su libertad.

Bernarda quiere saber cómo va el noviazgo de Angustias. Ella dice que algo extraño le pasa a Pepe, que parece distraído. Bernarda le dice: «No le debes preguntar. Y cuando te cases, menos. Habla si él habla y míralo cuando te mira. Así no tendrás disgustos.» (P. 1.513.) Este consejo, viniendo de Bernarda, que tiene fama de tomar medidas de mano dura, muestra la forma en que se concibe la naturaleza del varón. No debe irritarle sin necesidad. Él debe seguir su camino. Su naturaleza está prefijada. Anteriormente mencionamos que el comportamiento de Pepe es un ejemplo de la concepción general y determinista del hombre. Esta vez se aplica a él específicamente.

Al parecer sin ningún antecedente en la situación inmediata, Adela le pregunta a su madre por el significado de una

estrella fugaz: «Madre, ¿por qué cuando se corre una estrella
o luce un relámpago se dice:

> Santa Bárbara bendita,
> que en el cielo estás escrita
> con papel y agua bendita? (P. 1.516.)

Bernarda responde: «Los antiguos sabían muchas cosas que
hemos olvidado.» (P. 1.516.) La caída de una estrella o el
fulgor de un relámpago es un presagio de malas noticias, puesto
que es costumbre decir una plegaria. Amelia también lo entiende así, pues dice: «Yo cierro los ojos para no verlas.»
(P. 1.516.) Bernarda cierra la discusión diciendo: «Y es mejor
no pensar en ellas.» (P. 1.516.), cuando Martirio dice que esas
cosas no tienen nada que ver con ellas. Es difícil saber por qué
Lorca incluye esa discusión. Quizá el sino está en la mente de
Adela. Bernarda es consciente de ello, como se deduce de su
respuesta.

Las muchachas se han retirado a descansar, y Bernarda está
satisfecha. Cree que su vigilancia ha prevenido cualquier cosa
que hubiera podido ocurrir. Declara con satisfacción: «... Mi
vigilancia lo puede todo.» (P. 1.518.) Por el momento, vive
bajo la ilusión de que lo tiene todo bajo control. Es entonces
cuando Poncia le dice que sus hijas viven como metidas en
alacenas. Ya nos hemos referido anteriormente a esta afirmación. La interpretación de Poncia de la actitud de Bernarda,
según la cual todo va bien porque «a la vigilancia de mis ojos
se debe esto» (P. 1.519.), concuerda con la nuestra. Dice:
«Cuando una no puede con el mar, lo más fácil es volver las
espaldas para no verlo.» (P. 1.520.) La criada también está de
acuerdo con esta opinión. Por tanto, Poncia indica que las cosas
no van bien, que la situación es tan explosiva como antes.
Añade: «Yo no puedo hacer nada. Quise atajar las cosas, pero
ya me asustan demasiado.» (P. 1.520.) La tormenta está desti-
nada a desatarse. El sino se cierne sobre la casa. Lo que empu-
jará a la tormenta a dimensiones explosivas es la fuerza de la
Naturaleza. La criada dice: «Bernarda cree que nadie puede
con ella y no sabe la fuerza que tiene un hombre entre mujeres
solas.» (P. 1.520.) También la criada alude al poder del im-

7

pulso sexual entre mujeres reprimidas. Vuelve a darse entrada al determinismo natural.

Poncia está de acuerdo en que Bernarda no puede controlar la situación. Añade que Pepe no tiene la culpa, que Adela debería dejar de tentarle porque «... un hombre es un hombre». (P. 1.520.) En otras palabras, el responder a las insinuaciones de Adela está en su naturaleza. Puesto que el hombre está configurado así, no puede obrar de otro modo.

Sigue la afirmación de Poncia a que aludimos al principio de esta sección de nuestro estudio, en que se refiere a la mansión como una casa de guerra. La respuesta de la criada se refiere a los intentos de Bernarda de interrumpir el curso de los acontecimientos que parecen inminentes: «Bernarda está aligerando la boda y es posible que nada pase.» (P. 1.521.) Pero a pesar de sus esfuerzos, todavía existe la posibilidad de que las nupcias no tengan lugar, que las cosas sigan por el camino a que están empujadas. Bernarda, como los demás humanos, sólo tiene una esfera de influencia limitada. Poncia, en su respuesta, refuerza la idea que estamos tratando de sugerir. Creemos que el destino ya ha decidido cómo terminará todo, o, mejor dicho, cómo no terminará. Poncia dice: «Las cosas se han puesto ya demasiado maduras.» (P. 1.521.) Han ido demasiado lejos para que se las pueda detener. El sino ha tomado las riendas, y debemos resignarnos a él.

La criada y Poncia comentan la guerra que se está librando en la familia. Poncia dice que las hijas de Bernarda no son malas: «... son mujeres sin hombre, nada más. En estas cuestiones se olvida hasta la sangre.» (P. 1.521.) En otras palabras, las hijas de Bernarda no pueden evitar el ser como son. Son mujeres sin hombre, y ésta es una situación completamente antinatural y desquiciante, porque las mujeres deben tener un hombre. Está dentro de las leyes de la naturaleza. Esta ley es tan fuerte que se rebelan si no es satisfecha, y más si hay un hombre cerca. El impulso sexual las empuja a encontrar expansión; por ello luchan, olvidando las gentilezas sociales que se les ha enseñado a observar: que son hermanas y que entre ellas debe haber cooperación, en lugar de competición. Puede apreciarse aquí el poder del determinismo natural.

Aparece María Josefa, la madre de Bernarda. Conviene re-

cordar que está mentalmente trastornada. Sin embargo, a veces
percibe las cosas con gran claridad. Su aparición y el poema que
recita están más relacionados con las imágenes y el simbolismo,
por lo que volveremos sobre ellos más tarde, en la sección
correspondiente. No tiene relación con los demás miembros de
la familia, y por ello debemos mencionarla aquí. Después de sugerir cuál será el sino de sus nietas, es aún más directa, provocando a Martirio con una pregunta: «... ¿Y cuándo vas a
tener un niño?» (P. 1.524.) Su pregunta es únicamente retórica,
pues sigue inmediatamente con la respuesta: «Yo he tenido
éste.» (P. 1.524.) Volviéndola a formular como afirmación,
su pregunta significa que Martirio no tendrá niños. Ése es su
destino.

    María Josefa continúa su observación y análisis del dilema
de sus nietas. Es muy interesante observar que su analogía es
muy mecánica, realzando nuestra discusión del determinismo.
Con una oveja en la mano dice: «Este niño tendrá el pelo blanco y tendrá otro niño y éste otro, y todos con el pelo de nieve
seremos como las olas, una y otra y otra.» (P. 1.524.) Concibe
el paso de una generación a otra, y luego otra más, automá-
ticamente, casi como una reacción en cadena. Añade: «Luego
nos sentaremos todos y todos tendremos el cabello blanco y
seremos espuma.» (P. 1.525.) Después todos serán viejos, como
la espuma de las olas, cuando ya estén gastados; pero se ha-
brán gestado con la reproducción. María Josefa insiste en el
destino de Martirio y, quizá de paso, en el de todas sus nietas.
Dice que cuando su vecina tenía un niño, ella le llevaba chocolate y la vecina se lo traía a ella. Le dice a Martirio: «Tú
tendrás el pelo blanco, pero no vendrán las vecinas.» (P 1.525.)
En otras palabras, las vecinas no vendrán a traer chocolate y
otras golosinas a Martirio porque no tendrá niños. Sólo se irá
volviendo vieja y cana. A continuación, María Josefa se plantea
una pregunta más general, es decir, la situación de todas sus
nietas; su depravación y frustración, sus condiciones de opresión: «... Pepe el Romano es un gigante. Todas lo queréis.
Pero él os va a devorar porque vosotras sois granos de trigo.
No granos de trigo. ¡Ranas sin lengua!» (P. 1.525.) En otras
palabras, son criaturas sin voz. No tienen expresión ni libertad
para decidir sus acciones o para cumplir sus deseos. Conviene

observar, de pasada, cómo describe a Pepe. Es un gigante y las va a devorar. Más tarde se le calificará de león jadeante. Será la representación animada del impulso sexual que les devora a él y a Adela. También aquí quisiéramos recordar la imagen del gigante San Cristóbal que quería devorar a la gitana en *Preciosa y el aire,* que comentamos brevemente en nuestra introducción.

En la escena siguiente Martirio y Adela están disputando. La guerra a la que se refería Poncia ya ha comenzado. Pronto olvidarán también que son hermanas. Martirio dice que las cosas no pueden seguir así; es decir, que Adela no puede seguir haciendo rápidos progresos para seducir a Pepe. Adela le asegura que las cosas seguirán avanzando, más inflamadas, a su favor:

> Esto no es más que el comienzo. He tenido fuerza para adelantarme. El brío y el mérito que tú no tienes. He visto la muerte debajo de estos techos y he salido a buscar lo que era mío, lo que me pertenecía. (P. 1.526.)

Adela alude a su energía, a su poder para desear y realizar sus deseos, a su libre albedrío. También señala la falta de voluntad, impotencia y resignación de Martirio. Más aún: ha visto la muerte, la muerte emocional y la espiritual, latente bajo los techos, y ha tratado de escapar de ella. Está librando una batalla para escapar a esa muerte que es el destino. Momentáneamente ha avanzado y es capaz de proyectarse más allá de sus propios límites físicos. Su deseo y necesidad han conseguido algo y ella ha actuado para poseerlo. Adela, en su agresividad, es descendiente de las mujeres descritas en las obras de Tirso de Molina.

Martirio le recuerda que Pepe pertenece a otra: a Angustias: «Ese hombre sin alma vino por otra.» (P. 1.526.) Su descripción de Pepe como un desalmado encaja en la concepción general de los hombres presentes en la obra: malvado, sin alma, egoísta e incapaz de cambiar. Pepe, como hemos dicho anteriormente, se convertirá en el prototipo del varón. Cuando Adela insiste en que Pepe la quiere y que corteja a Angustias sólo por razones económicas, Martirio ya no puede dominarse. Entonces admite que ama a Pepe. Su arranque indica el poder de las fuerzas que hay en su interior, que no puede controlar: «¡Sí! Déjame decirlo con la cabeza fuera de los embozos. ¡Sí! Déjame que el pecho se me rompa como una granada de amargura. ¡Le quiero!» (P. 1.527.) Martirio no es la única que no puede dominarse. También Adela sugiere que lo que está ocurriendo está más allá de su control, que ciertas cosas ocurren según sus propios designios: «Martirio, Martirio, yo no tengo la culpa» (P. 1.527.), le dice abrazándola. Pero Martirio la rechaza: «¡No me abraces! No quieras ablandar mis ojos. Mi sangre ya no es la tuya. Aunque quisiera verte como hermana, no te miro ya más que como mujer.» (P. 1.527.) La guerra está en marcha, su parte al menos, y ellas olvidarán que son hermanas; todo porque el demonio del sexo arde en su interior.

Adela le dice a Martirio que no hay nada que hacer: «Aquí no hay ningún remedio. La que tenga que ahogarse, que se ahogue. Pepe el Romano es mío. Él me lleva a los juncos de la orilla.» (P. 1.528.) Al decirlo, Adela está pensando que Martirio podría matarse si fuera preciso, puesto que nada puede hacerse para cambiar las circunstancias. También debemos observar que Lorca deja la muerte por estrangulación flotando en el aire. Es Adela la que va a morir estrangulada. Es ella la que se ahorcará. Adela debe ahora seguir por el camino que le dicta su impulso sexual, galvanizado en toda su fuerza por el estímulo de Pepe. Dice:

> Yo no aguanto el horror de estos techos después de haber probado el sabor de su boca. Seré lo que él quiera que sea. Todo el pueblo contra mí, quemando con sus dedos de lumbre, perseguida por los que dicen que son decentes y me pondré la corona de espinas que tienen las que son queridas de algún hombre casado. (P. 1.528.)

Ha probado sus besos y ya no puede resistirse a él ni tolerar las condiciones de vida de su casa, que tratan de frustrar ese impulso que los besos de Pepe han elevado hasta constituir la ambición de su existencia. Sabe lo que le exige el orden social. Conoce cuál es el castigo para los que violan el código moral y social. Sufrirá las consecuencias, pero debe responder a la llamada del sexo.

También Martirio está llena de la misma clase de fuego. No dejará que Adela sojuzgue el fuego que bulle en su interior. Le dice: «Eso no pasará mientras yo tenga una gota de sangre en el cuerpo.» (P. 1.528.) Adela le advierte que es incapaz de detenerla: «No a ti, que eres débil; a un caballo encabritado soy capaz de poner de rodillas con la fuerza de mi dedo meñique.» (P. 1.528.) Las fuerzas que luchan en su interior son ya tan fuertes que superan su energía normal. Respiran y tienen vida propia. Ella es su instrumento y se inclinan en una dirección ya sugerida y decidida. También aquí conviene observar que ella dice que podría dominar a un caballo encabritado. Ella, o la fuerza que lleva dentro de sí, el sexo, dominarán a Pepe. Él estará en el corral, donde la fuerza del sexo le subyugará. El caballo, que anteriormente estaba en celo y se le comparó con un hombre, fue sacado al corral. Por tanto, el caballo se está usando como un continuo *leit motiv* [30]. También Adela ve a Martirio sólo como mujer y no como hermana, porque la ley de la Naturaleza debe superar cualquier convención social. Adela dice: «Nos enseñan a querer a las hermanas. Dios me ha debido dejar sola en medio de la oscuridad, porque te veo como si no te hubiera visto nunca.» (P. 1.529.) A continuación tiene lugar una lucha entre Martirio y Adela. La aparición de Bernarda pone fin a la pelea.

Martirio le dice a Bernarda que Adela estaba en el corral con Pepe. Le muestra la paja que todavía cuelga de sus enaguas. Bernarda se acerca a Adela llena de cólera, quizá a punto de golpearla, diciendo: « ¡Ésa es la cama de las mal nacidas! » (P. 1.520.) De ello se deduce que sólo las que han nacido con una mala inclinación, con una perversa predisposición hacia esa clase de comportamientos, son capaces de reunirse con un hombre en esas circunstancias y fornicar con él. Por tanto, Adela, tal como Bernarda lo ve o lo racionaliza para preservar su orgullo, nació llena de maldad. Pero Adela, completamente al servicio de las poderosas fuerzas que hay en su interior, hace un movimiento para dominar a su madre y le dice: « ¡Aquí se acabaron las voces de presidio! » (P. 1.259.) Añade: «Esto hago yo con la vara de la dominadora. No dé usted un paso más.

[30] Ver también Juan Villegas, El *«leit motiv»* del caballo en *«Bodas de sangre»*, «Hipanófila» (enero 1967), pp. 21-36.

En mí no manda nadie más que Pepe.» (P. 1.529.) Podemos parafrasearlo en el sentido de que Adela no asume una independencia completa; se limita a proclamar lo que la domina, lo que ordena sus acciones, el impulso sexual, y no permitirá que nada contravenga sus designios. El determinismo natural y biológico sirve al destino.

Adela precisa aún más lo que ha estado ocurriendo. Dice en forma inequívoca: «Yo soy su mujer.» (P. 1.530.) Y luego, a Angustias, la prometida de Pepe: «Entérate tú y ve al corral a decírselo. Él dominará toda esta casa. Ahí fuera está, respirando como si fuera un león.» (P. 1.530.) No tiene respeto, ni consideración, ni ningún tipo de delicadeza con Angustias. Les dice a sus hermanas y a su madre, como nos dice a nosotros, que Pepe está fuera en el corral, todavía jadeando por los efectos del encuentro. La fuerza que representa es tan poderosa, que dominará toda la casa. Está respirando como un león y representa la fuerza del impulso sexual. El león, como rey de las fieras, les dominará a todas. El sexo es la fuerza más poderosa, el rey de las fuerzas. Pero del mismo modo que el león, que se queda temporalmente sin respiración, el sexo no puede triunfar como rey permanente de las fuerzas. Sólo cuando llega su hora es la más poderosa. En los demás casos, sólo es una de tantas. Lo que dice Angustias a continuación apoya nuestro argumento. Le dice a Adela: «¡De aquí no sales tú con tu cuerpo en triunfo! ¡Ladrona! ¡Deshonra de nuestra casa!» (P. 1.530.) En otras palabras, el cuerpo (soma) o sexo no triunfará. Bernarda también ha apuntado con su escopeta y disparado a Pepe, que es otra manifestación del impulso sexual o cuerpo.

Martirio, que anteriormente había declarado la guerra a Adela, una guerra cuyo premio es Pepe y la gratificación del cuerpo, se asegurará de que el sexo, que no ha podido disfrutar, no triunfe. Dice: «Se acabó Pepe el Romano.» (P. 1.530.) No es cierto. Pepe no ha muerto. Adela, pensando que así ha sido, se ahorca. De este modo, el cuerpo no triunfa. Cuando Poncia le pregunta a Martirio por qué dijo que Pepe había muerto, sabiendo que no era verdad, ella responde refiriéndose a Adela: «¡Por ella! Hubiera volcado un río de sangre sobre su cabeza.» (P. 1.531.) No está claro todo el significado de esta afirmación. Sólo podemos especular. Quizá Martirio quiere decir que si Adela hubiese seguido viviendo, habría continuado el derramamiento de sangre y una mayor violencia entre las hermanas y la madre, pues Pepe habría dominado a toda la familia. María Josefa dijo que les devoraría a todas ellas. También Adela había dicho que podía dominarlas a todas.

La obra termina con luto, tal como había comenzado, justificando así las anteriores palabras de María Josefa: «... Aquí no hay más que mantos de luto.» (P. 1.525.) Podemos observar aquí la indiferencia de Lorca por el orden social. La obra se desarrolla con tensión que estalla en violencia y termina violentamente. Así, todo queda dentro de los límites del conflicto y la violencia que se desata en la misma obra. No existe el bien o el mal bien definido, ni ninguna figura social que juzgue dichas materias, como en las obras de Lope o Calderón. No obstante, Lorca no ignora las normas morales y factores de compensación que las envuelven siempre que se violan ciertas costumbres. Adela conocía el castigo por despreciar el código moral y social. Se decidió a violarlo, a pesar de las consecuencias, en este caso la muerte. Lorca, como español que es, conoce agudamente el código del honor subyacente. La mujer deshonrada, desde el punto de vista del orden social, ha de limpiar su deshonra o morir. Conviene recordar los intentos de Pedro Crespo en *El alcalde de Zalamea* de salvar el honor de su hija, rogándole al capitán que la ha violado que se case con ella. Al negarse, éste fue ejecutado. También debemos recordar el ruego de la muchacha a su padre de que la mate antes que vivir deshonrada. También su hermano estuvo a punto de quitarle la vida por ese motivo. Así, Lorca escogió este método de restaurar el honor de acuerdo con el código social.

Bernarda, cuyo concepto de sí misma se desenvuelve en el marco del código moral, insiste contra toda evidencia que Adela ha muerto virgen: «... Ella, la hija menor de Bernarda Alba, ha muerto virgen.» (P. 1.532.)

Volviendo por un momento al tema principal de nuestra discusión, el destino ha triunfado, a pesar de la tiranía. Las hijas de Bernarda, como sugirió María Josefa, se han quedado solteras. Como se insinuó al principio de la obra, ni siquiera Angustias pudo escapar del infierno que tenía ante sus ojos, aunque su matrimonio y partida eran inminentes. Adela, que alentaba la ilusión de una vida feliz y sin preocupaciones, sólo pudo conservar temporalmente sus ilusiones. No pudo conseguir la felicidad. Lo que Bernarda y Poncia veían venir no pudo evitarse. Poncia sabía lo que se avecinaba porque la tiranía de Bernarda no permitía a las muchachas la libertad de expresión necesaria para una existencia normal, natural y humana. Bernarda reconocía la veracidad de las palabras de Poncia, pero su orgullo la indujo a pensar que podría desviar las cosas de su reacción natural, aun sin tener en cuenta la propia naturaleza de esas cosas. La espoleta necesaria para hacerlas madurar estaba allí: Pepe. Pueden hacerse brevemente dos observaciones interesantes: una es el duro castigo que le espera a cualquiera que se enfrenta con todas sus fuerzas contra el orden social, por muy opresivo que el sistema sea; nos referimos, por supuesto, a la muerte de Adela, pero no podemos evitar el acordarnos de Pepe Rey en *Doña Perfecta,* de Galdós; se opuso al orden social en Orbajosa y también él encontró la muerte. La segunda es la sensibilidad de Lorca respecto a la psicología española y al momento histórico. Escribió *La casa de Bernarda Alba* en el período inmediatamente anterior a la guerra civil. Se publicó después de su muerte. Las condiciones descritas en la casa de Bernarda, que estallaron con tal violencia, parecen extrañamente relacionadas con las existentes en España, que acabaron en una gran matanza. Lorca advirtió en sus instrucciones escénicas que se trataba de un documental: «El poeta advierte que estos tres actos tienen la intención de un documental fotográfico.» (P. 1.439.)

En nuestra anterior discusión ya hemos indicado cómo se combinan el libre albedrío y el determinismo en el desarrollo de los personajes. Aquí será suficiente con un breve comentario adicional. Conviene recordar que Bernarda Alba es la personificación de la tiranía; es decir, el enemigo del libre albedrío [31]. Lo que ella hace o la forma en que se comporta afecta a toda la casa. Son sus acciones y actitudes las que hacen que Angustias

---

[31] Francesca M. Colecchia observa la importancia de la primera y última palabra de Bernarda, «silencio», dentro del contexto de su dominación tiránica, su orgullo y su egocentrismo. (Colecchia, *op. cit.,* pp. 72-73.)

considere la casa como un infierno del que debe escapar. Estas mismas acciones y actitudes provocan que Magdalena prefiera pasarse la vida llevando sacos al molino antes que estar condenada a vivir en la casa para siempre. La guerra que estalla entre las hijas es el resultado de las desgraciadas y opresoras circunstancias de su vida, causadas por la forma en que Bernarda maneja su casa. Adela se encuentra en total oposición al sistema tramado para hacer que se vuelva vieja y frustrada como sus hermanas mayores. Su reacción es contra ese sistema, y el primer hombre que se le acerca le sirve de estímulo para su acción. También Martirio intentó sin resultado dar expresión a lo que es normal en la vida de una mujer: el amor y el sexo, que había tenido reprimidos. Esto es lo que la llevó a enfrentarse con Adela, ya que sólo un hombre pudo cruzar un territorio que ningún otro varón podía hollar, a pesar de que eran necesarios por lo menos cinco. Por tanto, el desarrollo del carácter está íntimamente relacionado con el libre albedrío y el determinismo, que constituyen el marco filosófico de la obra. Los personajes también son conscientes de la actuación del sino y el determinismo, la existencia de la tiranía y el efecto que todo ello produce en sus vidas. Tratan de escapar a ellos sin resultado.

Veamos ahora en qué medida el libre albedrío, el sino y el determinismo se reflejan en las imágenes de la obra. En el acto II, Angustias dice, refiriéndose a su casa: «Afortunadamente, pronto voy a salir de este infierno.» (P. 1.472.) Anteriormente sugerimos que la metáfora del infierno, utilizada para describir la casa de Bernarda, puede ampliarse. Podríamos asociar a Bernarda con el demonio, que trabaja para paralizar la voluntad y esclavizar el alma. El diablo no permite que nadie escape del reino que él gobierna. En la teología católica al menos, todos sabemos que las almas se libran del purgatorio, pero nunca escapan del infierno. Sabemos que en *La casa de Bernarda Alba* nadie escapó, ni siquiera las dos que tenían más esperanzas: Angustias y Adela. Esta imagen está claramente relacionada con el sino, el determinismo y el libre albedrío, puesto que el infierno es un lugar en que no es posible el libre albedrío en ninguna forma.

La imagen del infierno se relaciona con la que sigue, si no

en forma conceptual, al menos térmicamente y también en cuanto a las imágenes visuales que la idea del infierno sugiere: un fuego llameante. Poncia describe la noche. Ello es imporportante porque existe cierto desacuerdo sobre la hora en que Pepe dejó a Angustias. También se insinúa que con quien estaba Pepe es con Adela. Poncia dice: «Era la una de la madrugada y subía fuego de la tierra.» (P. 1.473.) Esta imagen es una repetición del anterior: el infierno se asocia con el fuego. Al mismo tiempo, el fuego se relaciona con la sed de la tierra, el calor que precede a la próxima estación, la de la siembra [32]. También Martirio se había quejado del calor hacia el final del acto II. Quiere que llegue noviembre y traiga lluvias. También conviene recordar a Adela levantándose a por agua para mitigar su sed en el acto III. También hay otra insinuación en el aire: el caballo en celo está «Bregando como un hombre» (P. 1.509.), y por ello Bernarda no quiere perder de vista a Adela. Su sed no es sólo de agua, aunque explícitamente el autor no dice más. La imagen del fuego que surge de la tierra se asocia con la sed humana de agua y de gratificación sexual y, al mismo tiempo, está relacionada con el determinismo a través de las leyes de la Naturaleza.

El fuego que la tierra emite como resultado de su enorme sed se relaciona con el calor y la sed de Adela específicamente en términos sexuales [33]. Le dice a Poncia en el acto III que ama a Pepe «¡Tanto! Mirando sus ojos me parece que bebo su sangre lentamente». (P. 1.482.) Su sed requiere algo más sustancial que el agua.

Poncia aporta otra metáfora referente a las condiciones de vida en la casa de Bernarda. Le dice a Martirio: «Ya me ha tocado en suerte este convento.» (P. 1.484.) Esta imagen también es trascendente para nuestro estudio. Un convento está dirigido por una madre superiora, en este caso Bernarda. Las monjas tienen sus deberes asignados y el régimen de actividades que deben seguir. Las monjas del convento de Bernarda son sus

[32] Celia S. Lichtman señala que la visión de la tierra que presenta Lorca, como vientre y tumba, coincide por completo con las antiguas creencias mítico-religiosas.
[33] Lichtman también nos dice que el agua siempre se ha considerado como un símbolo de fertilidad, como el fluido vital de la naturaleza. (Lichtman, *op. cit.*, p. 203.)

cinco hijas. Las monjas se limitan a obedecer y hacen lo que
deben. En casa de Bernarda, como en un convento, el casarse
es absolutamente impensable. En el régimen conventual no hay
libertad, ni de acción ni de pensamiento, ya que las monjas
pueden cometer tanto pecados de pensamiento como de obra,
y ambas clases deben confesarse. Tampoco en la casa de Bernarda hay libertad. Dice que ella es quien da las órdenes y las
hace cumplir: «... Hasta que salga de esta casa con los pies
adelante mandaré en lo mío y en lo vuestro.» (P. 1.470.)

Más tarde, Martirio dice que ha oído gente en el corral la
noche anterior. Ella y Amelia se preguntan qué es lo que causó
el ruido. Esta última ofrece una explicación: «Quizá una mulilla sin desbravar.» (P. 1.489.) Y Martirio replica, «Entre
dientes y llena de segunda intención: 'Eso, ¡eso!, una mulilla
sin desbravar.' » (P. 1.489.) La segunda intención que se sugiere es que algo extraño está ocurriendo en el corral. La «mulilla sin desbravar» es quizá una referencia a Adela, la más
joven de las hijas y la que está menos «domada» para que
acepte las rígidas condiciones, la más inflamada de ilusiones de
felicidad y de gratificación sexual duradera. También debemos
recordar que el escenario de los encuentros de Adela y Pepe
era el corral. En esta imagen podría haber un toque ligero,
pero hábil, por parte del autor para señalar que el corral es el
lugar de la acción importante.

La imagen siguiente vuelve a relacionarse con un animal,
con el sexo y con el corral. Aparece en el acto III. Se oyen
ruidos fuera, y Prudencia pregunta a Bernarda de qué se trata.
Ésta dice: «El caballo garañón, que está encerrado y da coces
contra el muro.» (P. 1.508.) A continuación da una orden:
« ¡Trabadlo y que salga al corral! » (P. 1.501.) Luego, en voz
baja, para que sus hijas no lo oigan: «Debe tener calor.»
(P. 1.508.) Bernarda es consciente del impulso sexual que siente el garañón. Sin embargo, no quiere soltarle las potras hasta
la mañana; hasta entonces quiere que las potras permanezcan
bien cerradas. El caballo sigue con sus ruidos y violencias porque no le dejan libre, y Prudencia dice que está «Bregando
como un hombre.» (P. 1.509.) Bernarda asiente. Inmediatamente después, Adela quiere ir por agua, pero Bernarda no le
permite que se mueva de donde está. Es una potra que debe

permanecer encerrada porque Pepe, el garañón, estará suelto
en el corral[34]. Sin insistir demasiado, debemos repetir que es
en el corral donde Adela y Pepe tenían su cita. La imagen
también funciona como una anticipación de la acción. Bernarda
reconoce el poder del determinismo biológico y, sin embargo,
se niega a colaborar a su funcionamiento, sea en términos so-
cialmente aceptables o de otro modo, en el caso de sus hijas.
También podemos mencionar, de pasada, que esta imagen, con
su posterior referencia al comportamiento del hombre, ayuda
a elaborar la forma en que se concibe al varón a lo largo de la
obra: identificado con las pasiones más bajas y el comportamiento antisocial y considerado en forma determinista.

En el acto III es Poncia nuevamente la que encuentra otra
comparación para la casa de Bernarda y sus condiciones de
vida: «... Tus hijas están y viven como metidas en alacenas.»
(P. 1.518.) Tan sólo los objetos inanimados se guardan en
despensas. Son lugares destinados para objetos sin voluntad.
Por lo que se refiere a Poncia, las hijas de Bernarda han vivido
hasta entonces como objetos, sin voluntad, sin posibilidad de
influir sobre las condiciones que, como seres humanos, desean
con más intensidad. Esta imagen, como la del infierno referido
a la casa o la que la asocia con un convento, funciona técnicamente como un resumen de la sustentación filosófica de la
obra.

Pero sabemos que la casa de Bernarda no es un infierno
ni un convento, aunque se parece a ambos; tampoco puede ser
simplemente una alacena, puesto que en ella viven seres humanos. Aunque no consigan cambiar nada, sin duda lo inten-
tarán, provocando el conflicto. Poncia se refiere a la casa en
estos términos. Dice en el acto III: «A mí me gustaría cruzar
el mar y dejar esta casa de guerra.» (P. 1.521.) La guerra esta-
llará precisamente porque Adela tratará de ejercer su voluntad,
porque el impulso sexual actuará en ella en forma muy poderosa y porque Martirio no puede seguir fácilmente soportando
la represión sexual. Estas fuerzas también constituyen un reto
para los métodos tiránicos de Bernarda. La guerra se produ-

---

[34] Celia S. Lichtman indica la importancia del caballo como símbolo
fálico que se asocia con una relación sexual violenta. (Lichtman, *op. cit.*,
p. 92.)

cirá más tarde. De este modo, la imagen sirve técnicamente de anticipación de la acción.

La imagen siguiente corre a cargo de María Josefa. Recita un poema de gran importancia en la estructura del drama. Da expresión lírica a la existencia del sino. Recogemos un fragmento:

> Ovejita, niño mío,
> vámonos a la orilla del mar.
> La hormiguita estará en su puerta,
> yo te daré la teta y el pan. (Pág. 1.523.)

En este caso, Lorca utiliza el elemento de la canción popular que tan frecuentemente usaron Lope de Vega y otros en el Siglo de Oro y posteriormente Benavente. La usa aquí para cargar la atmósfera con algo que está en el fondo de gran parte de las acciones y actividades de los personajes: el instinto maternal, la madre tierra clamando por ser fertilizada. María Josefa, una anciana de ochenta años, quiere darle el pecho a una oveja, su niño. Pero no puede hacerlo porque es demasiado vieja. Lo que más desean sus nietas es lo mismo que ella: compartir el milagro, la ternura y la turbulencia de la maternidad. Como ella, nunca realizarán sus deseos más fervientes. La pregunta de María Josefa a Martirio, que sigue inmediatamente, subraya el sino de sus nietas. Ellas no tendrán niños. Conviene observar aquí que anteriormente, cuando aparece María Josefa, indica que se ha escapado de la casa porque allí no hay esperanza. De ello se deduce que las muchachas deben escaparse. Angustias lo intentó. Aquí, en esta imagen, no se menciona la huida. Sólo encontramos la futilidad de querer amamantar a un niño con pechos de ochenta años. Hemos visto que las imágenes de la obra sirven de anticipación de la acción y de resumen de actos y conceptos. También hemos observado su función lírica y de conexión entre los hilos de la trama, tanto a través de los sentidos como del concepto. En cualquier caso, las imágenes están relacionadas con el marco filosófico del drama y, a menudo, con los temas que dan vida a su estructura.

En nuestro comentario de *La casa de Bernarda Alba* hemos observado la interconexión entre el sino, el libre albedrío y el determinismo y su funcionamiento en esquemas alternados de fuerza, intensidad e importancia. Vimos que la fuerza suprema y más poderosa es el sino y que el determinismo natural, principalmente a través del sexo, funcionaba como un instrumento del destino, haciendo de Adela su portavoz a partir de cierto punto. Hemos visto cómo el orden social, que se filtra a través de una persona tiránica e inflexible, trataba de imponer sus exigencias aún por encima de la Naturaleza y cómo se produjo la explosión, que trataba mínimamente de expresar el libre albedrío, sin conseguirlo por completo. Finalmente, vimos que todo tenía un papel asignado, cuando el esquema del sino alcanzó finalmente su círculo completo. Hemos comentado también la forma en que la caracterización y su desarrollo se relacionan íntimamente con el libre albedrío y el determinismo, y cómo las imágenes añaden un toque final, enriqueciendo la compleja trama que constituye la obra.

CAPÍTULO III

OBRAS HISTÓRICAS Y LÍRICAS

«MARIANA PINEDA»

En *Mariana Pineda* [1], el libre albedrío y el determinismo también tienen un importante papel. La misma Mariana se encuentra ante un dilema que pone a prueba todo el concepto del libre albedrío en forma abrumadora. O bien mantiene a toda costa sus convicciones y su honor, aunque el precio de su firmeza y valor sea una muerte segura, o debe vivir desgraciada, vencida, como víctima de un sistema político opresor, que trata de destruir todas las libertades políticas y civiles, y con ellas el libre albedrío. Mariana no está concebida como un ser que goza de total libertad. Muchos de sus actos y tendencias son manifestaciones de una concepción determinista de la realidad y del ciego destino. Trataremos de mostrar la forma en que el sino y el determinismo operan en esta obra, cómo las ocasiones del libre albedrío se relacionan con el determinismo y la relación de ambos con la total concepción de la realidad que la obra presenta.

Al final, Mariana capta todo el sentido de su decisión de no decir a Pedrosa quiénes son los conspiradores. Sabe que va a ser ejecutada. También conoce el significado de no salvar su vida a costa de sus convicciones. La formula muy sucintamente: «No se podrá comprar el corazón de nadie.» (P. 889.) El sentido de su afirmación es que, en última instancia, no se puede obligar al hombre a hacer lo que no quiere. No todo está com-

---

[1] García Lorca, *Obras completas,* pp. 781-891.

pletamente determinado de antemano. El hombre está dotado de libre albedrío y puede ejercerlo frente a fuerzas enormemente superiores, pues siempre tiene una última arma: la de perder la vida.

La afirmación de Mariana sobre el aspecto incomprable del corazón humano, la voluntad, aparece al final de un largo discurso en el que proclama su amor por la libertad y el precio que está dispuesta a pagar por ella. También indica la unidad de todos los humanos, su voluntad indomable y su experiencia común:

> Amas la libertad por encima de todo,
> pero yo soy la misma Libertad. Doy mi sangre,
> que es tu sangre y la sangre de todas las
> criaturas. (P. 889.)

No toma tan grave decisión con facilidad. Primero se enamora de Don Pedro, cuyas actividades tienen la finalidad de garantizar la libertad política y últimamente la personal y las máximas condiciones para ejercer el libre albedrío. El primer contacto de Mariana con la retórica de la libertad tiene lugar en la estampa II. Don Pedro la visita en la oscuridad de la noche y le dice:

> Mariana, ¿qué es el hombre sin libertad? ¿Sin esa
> luz armoniosa y fija que se siente por dentro?
> ¿Cómo podría quererte no siendo libre, dime?
> ¿Cómo darte este firme corazón si no es mío? (P. 830.)

Pedro establece un nexo entre la libertad política y la personal.

Mariana y Pedro expresan su ambición por una España con mayor libertad política y personal. Pedro dice:

> No es hora de pensar en quimeras, que es hora
> de abrir el pecho a bellas realidades cercanas
> de una España cubierta de espigas y rebaños,
> donde la gente coma su pan con alegría
> en medio de estas anchas eternidades nuestras
> y esta aguda pasión de horizonte y silencio. (P. 832.)

Así es como ella expresa su esperanza y concepción de la libertad:

Y yo soy la primera que lo pido con ansia.
Quiero tener abiertos mis balcones al sol
para que llene el suelo de flores amarillas
y quererte, segura de tu amor sin que nadie
me aceche, como en este decisivo momento. (P. 832.)

Vemos objetivamente ante nosotros los términos bajo los que ella abraza la causa de la libertad. Ve en ella la posibilidad de seguridad en el amor, de paz y serenidad. La visión de Pedro coincide en parte con la suya.

Su entrega al ideal de la libertad pronto se pone a prueba. El enemigo declarado de la libertad, Pedrosa, alcalde conservador de Granada, va pisando los talones a Pedro. Además, sabe que Mariana forma parte de una conspiración ilegal para derribar el gobierno legalmente establecido que él representa. Trata de utilizar el poder de su cargo y su conocimiento de las actividades subversivas de Mariana para seducirla. Cuando ella le rechaza por primera vez, insinúa una velada amenaza: «¡Mariana! ¿Y la bandera?» (P. 855.) Ella simula que no sabe de qué bandera está hablando, pero Pedrosa insiste en forma más directa: «¡La que bordó con esas manos blancas / en contra de las leyes y del rey!» (P. 855.) Añade que sabe que está complicada en una conjura y que, si le dice quiénes son los conspiradores, nunca se sabrá lo que ha pasado, porque «Yo te quiero / mía, ... Mía o muerta». (P. 856.) Trata de ganarse su simpatía pidiéndole clemencia. Él cree que está ganando terreno y la abraza, diciéndole en un tono que deja entrever sus deshonrosas intenciones:

La bandera
no la has bordado tú, linda Mariana,
y ya eres libre porque así lo quiero. (Pág. 856.)

Ella comprende todo el sentido de sus palabras, que Pedrosa aclara aún más intentando besarla, pero ella le rechaza, «reaccionando de una manera salvaje» (P. 856.), y le dice:

¡Eso nunca! ¡Primero doy mi sangre!
Que me cuesta dolor, pero con honra.
¡Salga de aquí! (P. 857.)

Pedrosa la deja bajo arresto domiciliario. De este modo se enfrenta a la primera prueba de su sinceridad en cuanto a la causa de la libertad. Dice que dará su sangre antes que permitir que se viole su integridad personal. En su persona y acciones se sintetizan la libertad política y la integridad: dará su sangre con honor. Debe ejercer su libre albedrío luchando contra su enemigo, la tiranía, personificada en Pedrosa. Ya ha dicho que prefería morir antes que traicionar a la causa. Tendrá oportunidad de demostrarlo.

En la estampa III se enfrenta a la prueba final de su voluntad de morir antes que traicionarse a sí misma y a la causa de la libertad que ha abrazado. Está encerrada en un convento, poco antes de que la condenen a muerte. Pedrosa le dice que aún está a tiempo de salvar su vida, si revela los nombres de los conspiradores. Cuando ella se niega, su réplica es concisa:

> Ya sabe, con mi firma
> puedo borrar la lumbre de sus ojos.
> Con una pluma y un poco de tinta
> puedo hacerla dormir un largo sueño. (P. 876.)

Vuelve a negarse, esta vez con orgullo: «¡Ojalá fuese pronto por mi dicha!» (P. 876.) Pero Pedrosa no se da por vencido fácilmente. Vuelve a decirle que debe declarar quiénes son los conspiradores, que pronto será demasiado tarde. Su respuesta es cortante, fiera: «¡No hablaré!» (P. 877.) A continuación, trata de forzarla a hablar empleando la fuerza física. Su actitud es despectiva, resuelta, al contestar: «Ahora menos lo diría.» (P. 877.) Su decisión es irrevocable: el libre albedrío ha triunfado.

En la escena VI de la estampa III, la Monja 1.ª le dice al entrar: «Sé fuerte, que Dios te ayuda.» (P. 879.) También la religiosa admira el valor de Mariana. Quiere que redoble su fortaleza y espera que Dios se la dé. Pidiendo ayuda al Señor para que dé fuerzas a Mariana, la monja ayuda al triunfo de su causa, la de la libertad.

En la escena VII del mismo acto, Fernando suplica a Mariana que salve su vida por él, por su amor, por sus hijos; pero ella se mantiene firme. No permitirá siquiera a las fuerzas más poderosas, la tiranía, apelaciones personales al amor y la generosidad, que militen contra el camino que se ha trazado. Es más, cree que el ejercicio de su fuerza de voluntad es aún más importante porque

> ¡No quiero que mis hijos me desprecien! ¡Mis hijos
> tendrán un nombre claro como la luna llena!
> ¡Mis hijos llevarán resplandor en el rostro
> que no podrán borrar los años ni los aires! (P. 885.)

Finalmente, dice que quiere morir por la causa de la libertad:

> Pedro, quiero morir por lo que tú no mueres,
> por el puro ideal que iluminó tus ojos:
> ¡¡Libertad!! Porque nunca se apague tu alta lumbre
> me ofrezco toda entera. ¡¡Arriba, corazón!! (P. 887.)

Ha encontrado un ideal por el que ejercer su libre albedrío y dar su vida. Luego dice con resignación y calmada seguridad: «¡Voy a dormir tranquila!» (P. 887.)

Anteriormente dijimos que *Mariana Pineda* no está concebida enteramente en base al libre albedrío y que también hay una gran cantidad de determinismo en la obra. La propia Mariana no se considera exclusivamente como la personificación del libre albedrío. Es consciente de las limitaciones que actúan sobre ella y los humanos en general. Vamos a ocuparnos ahora de este aspecto de la obra.

En la escena final, tras su afirmación de la inviolabilidad del corazón humano, nos dice también: «Ahora sé lo que dicen el ruiseñor y el árbol. / El hombre es un cautivo y no puede librarse.» (P. 889.) En otras palabras, aunque es consciente de su oportunidad para el ejercicio del libre albedrío, ve al hombre atrapado en un sistema cerrado del que no puede escapar. Revisaremos las alusiones al sino y al determinismo a lo largo de la obra, a la luz de esta afirmación.

Mariana se limita a formularnos lo que se ha venido desarrollando desde el principio de la obra. En la estampa I, escena I, Clavela pregunta por Mariana a Angustias, madrastra de ésta. Su respuesta es:

> Borda y borda lentamente.
> Yo lo he visto por el ojo de la llave.
> Parecía el hilo rojo, entre sus dedos,
> una herida de cuchillo sobre el aire. (P. 783.)

Clavela replica: «¡Tengo miedo!» (P. 783.) Ya se señala el destino: Mariana está bordando la bandera de los liberales. Es roja, del color de la sangre, y se asocia con una herida de cuchillo que pende en el aire. Se añade un nuevo ingrediente de temor. Podemos empezar a guardar en la mente, para ulteriores conclusiones, la idea de que Mariana está jugando con sangre. Las dos mujeres, Angustias y Clavela, que siguen hablando de Mariana, nos ayudan a captar la conexión entre la bandera que está bordando, los liberales, Don Pedro y el sino. Angustias dice:

> Ella me dice
> que la obligan sus amigos liberales.
> Don Pedro, sobre todos, y por ellos
> se expone...
>   a lo que no quiero acordarme. (P. 784.)

Clavela replica: «Si pensara como antigua, le diría... / embrujada.» (P. 784.) En lo que dice Angustias hay una idea de obligación; es decir, la subordinación de la voluntad o, al menos, la atracción de su apoyo. También aparece la idea de que Mariana se está exponiendo al peligro. Podemos esperar que el riesgo se concrete más tarde. La frase de Clavela aporta el nuevo matiz de voluntad seducida y dominada. Mariana está embrujada.

Pero mientras, como la trama del determinismo aparece y empieza a cerrarse en torno a Mariana y, al mismo tiempo, en torno a la obra, sigue existiendo un ligerísimo toque de posibilidad para el ejercicio de la voluntad. Angustias dice que Mariana debería coser cosas para sus hijos en lugar de meterse en política, puesto que es una mujer: «Que si el rey no es buen rey, que no lo sea; / las mujeres no deben preocuparse.» (P. 784.) La sociedad tiene establecido cuáles deben ser las principales preocupaciones de las mujeres y cuáles no. Las actividades de casi todas ellas están determinadas por la costumbre social. El simple hecho de que Mariana no se ajuste al patrón de comportamiento dictado para las mujeres la distingue como una probable mujer valerosa y como personificación del libre albedrío. Es precisamente esta posibilidad la que le acarrea el desastre, ya que el ejercicio del libre albedrío tiene su castigo. Ello concuerda con la posterior afirmación de Mariana de que el hombre es un cautivo.

En la escena V de la estampa I, Mariana se lamenta de no poder traer el anochecer rápidamente:

> Si toda la tarde fuera
> como un gran pájaro, ¡cuántas
> duras flechas lanzaría
> para cerrarle las alas! (P. 795.)

El hombre, como la bestia, está sujeto a ciertas leyes naturales y debe resignarse, impotente, ante sus efectos. Lo importante no es sólo que Mariana reconoce esa clase de determinismo, sino que la considera contraria a sus deseos, con efectos que limitan sus acciones: necesita la oscuridad de la noche para ponerse en contacto con Pedro y su banda de liberales.

Cuando Fernando, que está enamorado de Mariana, la visita esa misma noche, comentan asuntos cívicos y políticos de actualidad. Mariana, que acaba de reconocer las limitaciones que la Naturaleza impone al hombre, alude a otra cuando dice de Pedrosa:

> Le conocí por desgracia.
> Él está amable conmigo
> y hasta viene por mi casa
> sin que yo pueda evitarlo.
> ¿Quién le impediría la entrada? (P. 799.)

Ahora se refiere a una limitación política. No lo ve sólo desde el punto de vista personal, es decir, como una limitación que afecta únicamente a ella, sino también en términos más generales. Su incapacidad para hacer frente a la autoridad de Pedrosa se relaciona con los temores que su madrastra y Clavela expresaron en cuanto a su seguridad. Esta limitación sobre su voluntad también ayudará a proporcionarle las condiciones óptimas para el ejercicio de su elección más importante.

En la escena VI, Mariana recibe una carta de Pedro, que acaba de escapar de la cárcel. No se atreve a abrirla. Dice:

¡No la quisiera abrir! ¡Ay, quién pudiera
en esta realidad estar soñando!
¡Señor, no me quitéis lo que más quiero! (P. 803.)

Sabemos que la razón de sus temores pronto va a tomar
forma, así como el miedo de Clavela por su seguridad. Su deseo de no perder a Pedro es tan grande que pide ayuda a Dios.
Pero ello indica la gravedad del peligro y representa otro giro
en torno al cual el destino puede reafirmarse. Aún después de
abrir la carta, sigue sin tranquilizarse; por el contrario, ve la
red del destino acercársele aún más. Dice: «¡Pedro de mi
vida! Pero ¿quién irá? / Ya cercan mi casa los días amargos.»
(P. 805.)

Cuando Mariana llama a Fernando y consigue su ayuda para
llevarle a Pedro un pasaporte y un caballo, se encuentra ante
el dilema de sacrificar a Fernando [2] o no ayudar a Pedro. Además, cuenta con el poder del destino al decirle a Fernando,
que le ofrece su ayuda a cualquier precio: «No; tu sangre
aumentaría / el grosor de mi cadena.» (P. 810.) En otras palabras, sabe que existen fuerzas que no puede controlar, que no
puede poner al servicio de su voluntad, y su inercia en cuanto
al dominio de esas fuerzas sólo aumentaría si mataran a Fernando.

En la escena VII de esta misma estampa, la idea del sino
va ganando fuerza a medida que la acción subordinada de la
obra se refleja en la principal. Los hijos de Mariana están jugando con la bandera. Angustias informa de ello a Mariana:
«¡Qué juego / inventaron los niños!» (P. 816.) ¿Y qué tenía
de alarmante el juego de las criaturas? Angustias se lo dice
a Mariana:

... han hallado
en el armario viejo
y se han tendido en ella,
fingiéndose los muertos!
Tilín, talán; abuela,
dile al curita nuestro

[2] Celia S. Lichtman observa que los hombres de Lorca, desde su
primera aparición, están destinados a morir. (Lichtman, *op. cit.*, p. 50.)
Ello es aplicable al novio de *Bodas de sangre* y al joven de *Así que pasen cinco años*. Lorca no quiere matar a Fernando, pero lo presenta como
la víctima que va a ser sacrificada.

que traiga banderolas
y flores de romero;
que traigan encarnadas
clavelinas del huerto.
Ya vienen los obispos,
decían *uri mementi*
y cerraban los ojos,
poniéndose muy serios.
Serán cosas de niños,
está bien. Mas yo vengo
muy mal impresionada,
y me da mucho miedo
la dichosa bandera. (P. 817.)

De nuevo la muerte y el miedo se asocian con la bandera.
Es más, Angustias no se convence de que el juego de los niños
pertenece únicamente al reino infantil. Angustias añade, intensificando la sensación del sino que amenaza:

Mariana, ¡triste tiempo
para esta antigua casa,
que derrumbarse veo,
sin un hombre, sin nadie,
en medio del silencio!
Y luego, tú... (P. 818.)

Mariana le dice a Angustias: «Tengo el corazón loco / y
no sé lo que quiero.» (P. 818.) En otras palabras, Mariana
admite que está en ese momento a merced de una fuerza mayor que ella misma, quizá la del amor. Afirma el determinismo
natural a través de la atracción que el varón ejerce sobre la
hembra. Reafirma el poder de la fuerza que la tiene encadenada cuando Angustias le dice que olvide a Pedro. Responde
apasionadamente: « ¡Olvidarlo no puedo! » (P. 818.)
Al principio de la estampa II, escena III, Mariana da las
buenas noches a sus hijos diciéndoles:

Dormir tranquilamente, niños míos,
mientras que yo, perdida y loca, siento
quemarse con su propia lumbre viva
esta rosa de sangre de mi pecho.
....
Que yo también estoy dormida, niños,
y voy volando, por mi propio sueño,
como van, sin saber adónde van,
los tenues vilanicos por el viento. (P. 826.)

Se encuentra perdida, consumida por algo que hay en su interior. Lo expresa en términos de sangre y corazón; es decir, de determinismo biológico. También se ve a sí misma volando a través de un sueño, sin saber adónde va, como una semilla alada, sin voluntad, a merced del viento.

En la escena V, Mariana y Pedro hablan de su amor a la luz de las posibilidades de libre expresión dentro de un sistema libre. Le dice a Pedro:

> Ahora puedo perderte, puedo perder tu vida.
> Como la enamorada de un marinero loco
> que navegara eterno sobre una barca vieja,
> acecho un mar oscuro, sin fondo ni oleaje,
> en espera de gentes que te traigan ahogado. (Pp. 831-832.)

Llama nuestra atención sobre lo que podría ocurrirle a Pedro. Compara su situación con la de la novia de un marinero que espera la noticia de la muerte de su amante y la llegada de su cuerpo hinchado. En cierto modo, ve más claramente su destino: va a perder a Pedro. Pero es esta pérdida la que hará que convierta en objeto de su devoción el ideal que Pedro representaba. En aras de este ideal protegerá su integridad personal y su honor a través de la afirmación del libre albedrío.

En la estampa II, escena VIII, Mariana se despide de Pedro y los conspiradores. Les recomienda que lleven cuidado; luego, volviéndose, dice a Clavela: «¡Abre, Clavela! Soy una mujer / que va atada a la cola de un caballo.» (P. 848.) Nuevamente, Mariana nos dice que unas fuerzas incontrolables la empujan y que está atada a ellas, determinando la dirección en que debe moverse. Se ve impulsada y sabe que su voluntad nada puede contra esas fuerzas.

En la escena siguiente, Pedrosa visita a Mariana poco después de la partida de los conspiradores. Sabe que forma parte de la conjura porque ha encontrado la bandera que ella bordó. Quiere saber la identidad de los conspiradores y espera seducir a Mariana. Cuando ella rechaza sus avances, introduce las pruebas que tiene contra ella. Mariana, nerviosa y asustada, le ruega que se apiade de ella:

¡Tenga piedad de mí! ¡Si usted supiera!
Y déjeme escapar. Yo guardaré
su recuerdo en las niñas de mis ojos.
¡Pedrosa, por mis hijos!... (P. 856.)

Cree que la tiene en sus garras e intenta hacer un trato:
si le permite conseguir sus propósitos, compartir su lecho, olvi-
dará los cargos que tiene contra ella. Considera toda la situación en forma determinista. En su mente, todas las alternativas
han quedado eliminadas; ella sólo puede acceder. Sin embargo,
sabemos por discusiones previas que su visión de la realidad
no se ajusta por completo a la de ella. Mariana encuentra una
alternativa. Pedrosa espera que se arredre. Su hipótesis se basa
en la naturaleza de la mujer. Le dice con gran seguridad:

¡Por la fuerza
delatará! ¡Los hierros duelen mucho,
y una mujer es siempre una mujer!
¡Cuando usted quiera me avisa! (P. 857.)

Utiliza el determinismo biológico y social como base para su
certeza. La naturaleza de la mujer está ya decidida, biológica
y psicológicamente, por el papel que la sociedad le ha asignado y por su autoconcepto resultante de los condicionamientos
sociales a los que está sometida. Anteriormente hemos mostrado
que esta concepción de la mujer no puede aplicarse por completo a Mariana. Cuando Pedrosa la pone bajo arresto domiciliario, ella ve que las numerosas redes del destino han empezado a entrelazarse y a rodearla. Le dice a su madrastra, deján-
dose caer sobre el sofá: «¡Ahora empiezo a morir! / Mírame
y llora. ¡Ahora empiezo a morir!» (P. 859.)
Esta idea de la muerte inminente de Mariana gana terreno
en la estampa III. Mariana le dice a Sor Carmen, la madre
superiora del convento en el que está detenida, que está dispuesta a morir: «Porque ya estoy muerta.» (P. 865.) Comentando con Sor Carmen sus más profundos sentimientos, dice:
«Nace el que muere sufriendo, / ¡comprendo que estaba ciega!» (P. 866.) Es una reafirmación de nuestra anterior cita
de Mariana. Ella había dicho que el hombre es un cautivo que
no puede escapar a los límites en que ha sido concebido y
creado. Ello sustenta la visión determinista u orientada hacia

el destino de la realidad. Como la propia Mariana ha demos-
trado, el hombre goza de un poco de libertad dentro de los
límites prescritos para él.

Mariana no ha perdido la fe. Aunque ve que el sino se
cierra en torno suyo, sigue esperando, porque en la esperanza
yacen las posibilidades de libertad y de libre albedrío. Sin embargo, su esperanza se basa en el funcionamiento del orden
social; es decir, en una forma de determinismo social. Le dice
a Alegrito que la van a sacar de la cárcel por su condición social y la de las personas a las que ha apelado:

> ¡Lo harán todo! ¡Estoy segura!
> Son gentes de la nobleza,
> y yo soy noble, Alegrito.
> ¿No ves cómo estoy serena? (P. 867.)

Pero no puede insistir en su fe; sólo puede proclamarla
de vez en cuando porque las circunstancias no la confirman.
También el destino está tejiendo sus hilos. Cuando Alegrito
se va, ella dice:

> Y me quedo sola mientras
> que, bajo la acacia en flor
> del jardín, mi muerte acecha. (P. 871.)

Alegrito representa su único contacto con el mundo exterior. Cuando él parte, se queda aún más consciente de que la
muerte le acecha emboscada, esperando apoderarse de ella.
Siente las tensas redes de su sino. Se oye una voz ajena a Mariana. En realidad expresa dramáticamente sus más profundos
sentimientos. Dice:

> A la vera del agua,
> sin que nadie la viera,
> se murió mi esperanza. (P. 871.)

Sabemos que su esperanza se ha extinguido. Dejará que el
destino complete su tapiz. Ella no es ya más que un detalle
de su dibujo.

Cuando Pedrosa viene a verla en la escena V de la estampa III, no deja que se dé cuenta de que ha perdido la espe-

ranza. Continúa su lucha contra él, el agente de la tiranía, en los términos que Pedrosa comprende mejor: el poder y la influencia. Le dice:

> ....
> y que saldrían
> muy grandes caballeros a salvarme,
> porque soy noble. Porque yo soy hija
> de un capitán de navío, caballero
> de Calatrava. ¡Déjeme tranquila! (P. 874.)

Presenta ante Pedrosa una visión determinista del orden social; es decir, la forma en que la sociedad funciona y la influencia se ejerce.

También otras personas comparten la sensación de tragedia que rodea a Mariana. Las Novicias 1.ª y 2.ª confirman ahora lo que Angustias y Clavela sugerían en los primeros versos de la obra. La Novicia 1.ª dice: «¡Marianita va a morir! / ¡Hay otra luz en la casa!» (P. 880.) La Novicia 1.ª explica cómo se comporta el mundo de la Naturaleza ante la perspectiva de la muerte de Mariana:

> ¡Y cuánto pájaro! ¿Has visto?
> Ya no caben en las ramas
> del jardín ni en los aleros;
> nunca vi tantos, y al alba,
> cuando se siente la Vela,
> cantan y cantan y cantan... (P. 880.)

Mariana refuerza la idea de la naturaleza fija de los seres humanos. Esta vez se lo expresa a sí misma. Le dice a Fernando:

> ¡A ti debí quererte más que a nadie en el mundo,
> si el corazón no fuera nuestro gran enemigo!
> Corazón, ¿por qué mandas en mí si yo no quiero? (P. 886.)

Su admisión recuerda la sugerencia de Clavela en la estampa I, escena I, de que Mariana estaba realmente embrujada por el amor. También nos recuerda un momento de la estampa I, escena VIII, en que Mariana reconoce que su corazón estaba loco y que ella no podía olvidar a Pedro. También debemos poner en relación estos detalles con el concepto más general de Mariana sobre la condición humana: el hombre es un cautivo y no puede librarse.

Ve claro cuál es su sino al decirle a Fernando, que trata por todos los medios de convencerla para que se salve:

> ¡Ya estoy muerta, Fernando! Tus palabras me llegan
> a través del gran río del mundo que abandono.
> Ya soy como la estrella sobre el agua profunda,
> última débil brisa que se pierde en los álamos. (P. 886.)

Tal como ve su situación, está al otro lado de la vida y un golfo los separa. Quizá el golfo es el río Estigia, que separa el mundo subterráneo de Hades del de los seres vivientes. Ella aceptará su sino. Incluso le ayudará a completar sus designios. Pronto caminará hacia la muerte.

Sólo hay una acción que cuenta para nuestros fines, la acción principal de la obra, que elabora la esencia del drama. Las de los personajes secundarios referentes al libre albedrío y al determinismo están relacionadas con la acción principal en forma tan inseparable que hubo que comentarlas inmediatamente en conexión con ella. Asimismo, las imágenes también se relacionan en gran medida con la acción principal. Algunas de ellas pueden comentarse en una sección separada, como haremos a continuación.

En la estampa I, escena IV, Mariana comenta la alegría de sus jóvenes amigas Lucía y Amparo. Les dice:

> ¡Qué bien me causáis
> con vuestras alegrías de niñas pequeñas!
> La misma alegría que debe sentir
> el gran girasol al amanecer,
> cuando sobre el tallo de la noche vea
> abrirse el dorado girasol del cielo.
> La misma alegría que la viejecilla
> siente cuando el sol se duerme en sus manos
> y ella lo acaricia creyendo que nunca
> la noche y el frío cercarán su casa. (P. 790.)

Las imágenes del girasol y la anciana con el sol entre sus manos están claramente relacionadas con la acción principal en base al sino y al determinismo. El girasol no es el mismo sol, pero sólo responde a él, que tiene esquemas fijos. Cuando llega la noche, el sol lo abandona. Mariana es como un girasol, porque también ella responde y está encerrada en un esquema cuyo mecanismo está fuera de su control. La viejecilla que acaricia al sol está condenada al desengaño, puesto que ansía los placeres sin fin, la eterna juventud. Pero el sol sólo puede ponerse a su alcance durante el día. Por la noche la abandonará; entonces la asaltará la vejez, los huesos doloridos y la depresión. No puede conservar la luz del sol y la juventud. Debe sentarse a esperar que las leyes que gobiernan el sol le permitan verlo otra vez. La viejecilla es también la figura de Mariana, que no puede evitar la caída de la noche, la consumación de su sino.

En la estampa I, escena V, Fernando, refiriéndose a la situación política de España, dice:

> Ahora los ríos sobre España,
> en vez de ser ríos, son
> largas cadenas de agua. (P. 801.)

Esta metáfora sobre la situación española significa que la opresión y la tiranía son tan grandes que hasta la naturaleza las refleja. Hasta la misma naturaleza forma parte de su esclavitud. La figura se relaciona con nuestro tema en el sentido de que las condiciones de opresión reinantes minan las posibilidades de libertad política y personal, frustrando casi totalmente cualquier afirmación del libre albedrío. Mariana procurará la ayuda de Fernando para tratar de corregir las terribles condiciones que su metáfora describe.

Ya hemos comentado con la acción principal el juego de los hijos de Mariana. También éste presagia su sino.

En la estampa II, escena I, los hijos de Mariana, acompañados por Clavela, recitan *El romancillo del bordado*. En el poema, una muchacha está bordando una bandera. Incluimos un fragmento:

> Niña, la bordadora,
> mi vida, ¡no bordar!,
> que el duque de Lucena
> duerme y dormirá. (P. 823.)

Lorca nos ayuda a comprender la importancia del romance para la acción principal. Mariana «... oye el romance, glosando con gestos lo que en ella evoca la idea de bandera y muerte». (P. 823.) También ella morirá por la bandera que ha bordado. El romance, como anteriormente el juego de los niños, prefigura el destino. El poema continúa:

> ¡Ay duque de Lucena,
> ya no te veré más!
> La bandera que bordo
> de nada servirá. (P. 824.)

La bandera que Mariana ha bordado tampoco servirá de nada. Ella, como la muchacha del romance, no volverá a ver al hombre para el que bordó la bandera.

Ya hemos comentado dentro de la acción principal el significado de los pájaros como augurios de muerte, la de Mariana, en la conversación de las dos novicias de la estampa III, escena VII. También comentamos la supuesta referencia al río Estigia de la escena VIII de la misma estampa.

Al final de la obra, cuando se llevan a Mariana al cadalso, la Novicia 2.ª besa la orla de su vestido y entona: « ¡Clavelina de mayo! ¡Rosa de Andalucía!, / que en las altas barandas tu novio está esperándote.» (P. 890.) Se trata de una clara referencia a la muerte de Mariana. Sin embargo, alude a la felicidad después de la muerte: el novio espera a Mariana en lo alto. Su muerte le proporcionará una forma de casamiento en el cielo, reservado para aquellos que siguen el faro que señala el fin de una senda tortuosa. El novio es Dios, y está esperando para desposar a Mariana, o a su alma, puesto que sólo su cuerpo va a morir. Mariana alcanzará el ideal de los místicos españoles.

En nuestros anteriores comentarios hemos estudiado la naturaleza y función del libre albedrío y el determinismo en *Mariana Pineda*. Vimos que la protagonista tenía una visión integrada de la condición de los seres humanos: consideraba al hombre en general y a sí misma en particular como un ser circunscrito dentro de un sistema del que no puede escapar. Encontró la posibilidad de una opción libre dentro de estas limitaciones, ilustradas en su decisión final en favor de la integridad personal y la inviolabilidad del corazón humano. Fuera de la visión de Mariana de su propio mundo, vimos la acción del destino desde el principio, confirmada al final por otros personajes. Vimos también el efecto del libre albedrío y el determinismo sobre los caracteres, principalmente el de Mariana, en torno a la cual se construye toda la obra. Observamos la estrecha relación existente entre la acción secundaria que se refiere a nuestro tema y la principal. Finalmente, mostramos cómo las imágenes se relacionan también con la misma. Esta conexión funciona principalmente como anticipación del destino de Mariana. Las imágenes se refieren también a la libertad política y la tiranía. Finalmente, caracterizan la muerte de Mariana como una ocasión bella y trascendental, basada en la libertad del espíritu humano y aprobada por Dios.

«DOÑA ROSITA LA SOLTERA»

En *Doña Rosita la soltera* [3], el sino y el determinismo están siempre presentes y constituyen la esencia de la obra. El libre albedrío se subordina a la predestinación. En las páginas siguientes trataremos de mostrar el lugar que cada uno de ellos ocupa en el drama.

Hay ciertas indicaciones claves en el acto I que señalan inmediatamente la importancia del sino y el determinismo. De ellos partirá nuestro comentario. A continuación se estudiarán otros detalles en conexión con estos factores. Al principio de la obra, la tía de Rosita y la criada están hablando de la protagonista. La sirvienta, identificada como Ama, dice: «... Cuando chiquita tenía que contarle todos los días el cuento de cuando ella fuera vieja: 'Mi Rosita ya tiene ochenta años...', y siempre así.» (P. 1.354.) De niña, a Rosita le gustaba oír historias sobre su vejez. En ello encontramos una ligerísima indicación de su preocupación por la edad avanzada. El cuento no trata de la juventud de Rosita ni la presenta como una esposa satisfecha. Se salta estas etapas para ocuparse de los años de espera de la muerte. Podemos considerarlo como la primera y mínima indicación de que Rosita se verá privada de estas

---

[3] García Lorca, *Obras completas,* «op. cit.», pp. 1.351-1.438.

experiencias que llenan la vida de una mujer. Rosita es una niña; luego es vieja. He aquí un esquema de la curva de la obra.

La siguiente clave es el hecho de que el Sobrino tenga que partir. La tía dice que ella no quería que Rosita y el Sobrino, su primo, se enamoraran, porque sabía que éste tendría que irse a Argentina:

> Claro, si es natural. Por eso me opuse a tus relaciones con Rosita. Yo sabía que más tarde o más temprano te tendrías que marchar con tus padres. ¡Y que es ahí al lado! Cuarenta días de viaje hacen falta para llegar a Tucumán. Si fuera hombre y joven, te cruzaría la cara. (P. 1.362.)

El fragmento nos presenta una nueva pincelada del destino. La tía de Rosita prevé que ésta no va a ser feliz, como resultado de sus relaciones con el Sobrino. Tan fuerte es su sentimiento de que ello sólo puede traer desgracia, que abofetearía a su sobrino, como castigo, si pudiera. El factor que, en la mente de la tía, muestra el destino de Rosita es el hecho de que el Sobrino tenga que volver con sus padres. El determinismo social, a través de la relación de obediencia que liga al hombre con sus padres, está al servicio del sino.

El Sobrino se defiende rápidamente, y con ello da entrada al determinismo natural, diciendo: «Yo no tengo la culpa de querer a mi prima.» (P. 1.362.) Pero su tía le dice que tiene que ir a reunirse con sus padres, aunque prefiera quedarse. Debe ir —dice— porque su padre es viejo:

> ¡Quedarte! ¡Quedarte! Tu deber es irte. Son muchas leguas de hacienda y tu padre está viejo. Soy yo la que te tiene que obligar a que tomes el vapor. Pero a mí me dejas la vida amargada. De tu prima no quiero acordarme. Vas a clavar una flecha con cintas moradas sobre su corazón. Ahora se enterará de que las telas no sólo sirven para hacer flores, sino para empapar lágrimas. (P. 1.362.)

Hay varias partes importantes en su discurso. En primer lugar, alude en forma aún más clara al determinismo social: el padre del Sobrino está viejo y decrépito, así es que debe irse a Argentina a vivir con él. En segundo lugar, como resul-

tado de su partida, su vida quedará amargada por lo que le va
a pasar a Rosita: con ello nos indica su destino. En tercer lugar, el poder del sino se intensifica y relaciona con una emoción fuerte y debilitadora: el Sobrino va a traspasar el corazón
de Rosita con flechas llenas de dolor. Finalmente, se señala
toda la trama y resultado final de la obra estrictamente en base
al destino: la tía sabe ahora que la tela no sólo sirve para hacer
flores bordadas, sino también para empapar lágrimas: las de
Rosita.

A las pinceladas que forman el esquema del destino como
marco en el que va a desenvolverse la acción, añadiremos otros
para completar el cuadro. Al principio del acto I, Rosita abre
inocentemente una sombrilla dentro de la casa. Su criada le
dice: «¡Por Dios, cierra la sombrilla, no se puede abrir bajo
techado! ¡Llega la mala suerte!» (P. 1.358.) No sólo teme que
la mala suerte descienda sobre la casa, sino que, para tratar
de evitarlo, reza una oración. Lorca utiliza la superstición para
señalar en dirección al sino.

Más tarde, cuando el Sobrino promete a su tía que volverá
para casarse con Rosita, la criada dice: «... otra vez vienen
los llantos a esta casa.» (P. 1.364.) Pronostica lágrimas e infelicidad como resultado de la partida del Sobrino, a pesar de
sus buenas intenciones, de sus deseos de cumplir su promesa,
realizando una elección libre y ejerciendo su libre albedrío.
En la mente de la criada no hay siquiera una batalla en igual-
dad de condiciones entre el sino y el libre albedrío por el resultado final. La voluntad no debe siquiera tomarse en consideración; el sino vencerá con toda seguridad. Al final del
acto I, el Sobrino insiste: «Sí. ¡Volveré!» (P. 1.373.) Piensa
que tiene poder para mantener su palabra, para decidir lo que
hará o dejará de hacer. Con su promesa afirma su libre albedrío.

En el acto II, el tío de Rosita, gran amante de las flores,
y el Señor X, un entusiasta de la tecnología, comentan los
méritos y nuevo auge de esta ciencia. Entre otras cosas, el Tío
dice: «Cada uno vive como puede o como sabe en esta vida
diaria.» (P. 1.376.) En su opinión, el hombre no es el gran
motor que la nueva era de la ciencia y la tecnología pretende
que sea. Está a merced de fuerzas fuera de su control: vive

como puede, como ha aprendido a vivir de generación en generación. En otras palabras, está dominado por la naturaleza y la tradición: es una criatura del determinismo.

Esta idea se refuerza. El Ama dice de Rosita: «... Tendrá el pelo de plata y todavía estará cosiendo cintas de raso liberti en los volantes de su camisa de novia.» (P. 1.380.) La criada nos está diciendo cuál será el sino de Rosita. Está relacionado con lo que su tío dijo anteriormente. A pesar de su promesa, el sobrino no hará lo que quiera, sino lo que pueda. Quizá no le sea posible cumplir su promesa. Lo que dice el Ama está también conectado con nuestro primer ejemplo de destino; es decir, con el cuento de la vejez de Rosita, que tanto le gustaba oír. Aquí, sin embargo, la prefiguración del sino tiene bases más sólidas.

A continuación, vuelve a configurarse la condición humana en base al determinismo. El Tío le dice a su mujer que, tras una larga convivencia, los hombres están condenados a pelearse por cualquier cosa:

> ... Llega un momento en que las personas que viven juntas muchos años hacen motivo de disgusto y de inquietud las cosas más pequeñas, para poner intensidad y afanes en lo que está definitivamente muerto. (P. 1.386.)

En otras palabras, el hombre no puede evitar los estragos del tiempo y la decadencia física. Tales son las leyes que gobiernan su misma naturaleza. Condicionado por ella, debe incluso simular importancia para sustituir la intensidad que el tiempo le ha arrebatado.

Más tarde, en el acto II, tres solteronas y su madre visitan a la familia de Rosita. La madre es viuda. Habla del esfuerzo que ha tenido que realizar para manejar las finanzas de la casa de forma que ella y sus hijas puedan cubrir sus necesidades y conservar las señales reconocibles de su clase. Dice:

> Pero usted lo sabe muy bien: desde que faltó mi pobre marido hago verdaderos milagros para administrar la pensión que nos queda. Todavía me parece oír al padre de estas hijas cuando, generoso y caballero como era, me decía: «Enriqueta, gasta, gasta, que yo gano setenta duros»; pero ¡aquellos tiempos pasaron! A pesar de todo, nosotras no hemos descendido de clase. ¡Y qué

angustia he pasado, señora, para que estas hijas puedan seguir usando sombrero! ¡Cuántas lágrimas, cuántas tristezas por una cinta o un grupo de bucles! Esas plumas y esos alambres me tienen costado muchas noches en vela. (P. 1.393.)

Lo que dice es muy importante; por ello se incluye la cita completa. Se indica aquí su fuerza y su voluntad de proyectarse a sí misma y a sus valores sobre circunstancias de descenso. Además, su situación funciona como una anticipación de lo que le ocurrirá a la Tía. Su marido, que no es frugal ni realista en materias financieras, morirá. Ella tendrá que arreglárselas con dificultades. Su personalidad se desintegrará bajo el peso de la presión económica. En parte, se nos traza su destino.

Hacia el final del acto III, las solteronas, su madre, Rosita y su tía cantan *Lo que dicen las flores*. La canción se relaciona con la acción principal de la obra, pues narra la emoción que representa cada flor. La rosa blanca significa frialdad, pasión muerta. Rosita canta:

> Abierta estaba la rosa,
> pero la tarde llegaba,
> y un rumor de nieve triste
> le fue pesando las ramas;
> cuando la sombra volvía,
> cuando el ruiseñor cantaba,
> como una muerta de pena
> se puso transida y blanca;
> y cuando la noche, grande
> cuerno de metal sonaba
> y los vientos enlazados
> dormían en la montaña,
> se deshojó suspirando
> por los cristales del alba. (P. 1.404.)

En la canción se compara a la rosa con una mujer que murió de pena. La rosa, como la mujer, está marchita y blanca. La blancura simboliza la frigidez, la sequedad de emociones. Finalmente, los pétalos de la rosa se desprenden, mientras busca el rocío de la mañana para nutrir sus emociones. La flor es la propia Rosita. En la canción se nos dice cuál va a ser su destino. Morirá emocionalmente. Sus esperanzas quedarán rotas, muertas.

En el acto III, la tía de Rosita se ha quedado viuda. El

destino, cuya sombra aparecía en el acto II, se ha materializado. La Tía no es capaz de sobreponerse a su desgracia. Dice: «Yo ya estoy entregada..., y un día sopas, otro día migas, mi vasito de agua y mi rosario en el bolsillo, esperaría la muerte con dignidad...» (P. 1.414.) Está perdida, resignada a su sino, incapaz de ejercer ninguna fuerza moral o libre albedrío para cambiar su situación. Se sienta a esperar la muerte.

También la criada habla del sino: del de Rosita. Seguramente el Sobrino habrá encontrado a alguna mujer rica para casarse —dice el Ama—, pero podía habérselo dicho a Rosita a tiempo: «... Porque ¿quién quiere ya a esta mujer? ¡Ya está pasada!» (P. 1.415.) El Ama expresa la idea en términos biológicos. Rosita está fisiológicamente en una situación irreversible, como una fruta o una flor.

El Ama ve que toda la familia ha aceptado su sino y dejan que el tiempo pase hasta que llegue la muerte. Dice: «¿Y ya está? ¿Usted sentada y yo sentada? ¿Y a morir tocan? ¿Y no hay ley? ¿Y no hay gárvilos para hacerlo polvo...?» (P. 1.416.) Pero a pesar de la propia impotencia para cambiar ciertos hechos de la vida, hay otros que quedan por entero bajo control del individuo. El Ama, que lo sabe, que el inevitable estado de cosas le arrebate su posibilidad de elección. Ella sí tiene opción y la va a ejercer. Le dice a la tía de Rosita, que está desanimada y no hace más que autocompadecerse: «Mientras yo tenga brazos, nada le faltará.» (P. 1.417.)

Cuando Martín, un anciano maestro de escuela, visita a la familia, les habla de sus asuntos, nos encontramos con otra situación en que las fuerzas militan contra la libertad del individuo para realizar sus deseos. Martín trabaja bajo condiciones un tanto frustrantes: sus alumnos no tienen interés por aprender; no respetan a los maestros, y sus padres fomentan el mal comportamiento. Ésta es la situación, tal como la expresa Martín:

> Son los que pagan y vivimos con ellos. Y créame usted que los padres se ríen luego de las infamias, porque, como somos los pasantes y no les vamos a examinar los hijos, nos consideran como hombres sin sentimiento, como a personas situadas en el último escalón de gente que lleva todavía corbata y cuello planchado. (P. 1.419.)

Pero el funcionamiento de la sociedad y su despreocupación por los deseos del individuo no han derrotado a Martín. Quería ser escritor. Terminó una obra teatral que nunca se llegó a representar. Tuvo que transigir con la vida; se vio obligado a rendirse ante fuerzas que militaban contra sus deseos. Después pensó que podía ser farmacéutico; pero hasta eso le fue imposible, pues tuvo que trabajar como maestro para ayudar a su madre. Precisamente en esta ocupación hubo de trabajar con tantas frustraciones. No obstante, ejerce su albedrío hasta donde puede. No ignora que las posibilidades de realizar sus deseos son limitadas. Uno de sus cuentos había aparecido en un periódico el día anterior. La Tía dice que lo leyó: «¿'El cumpleaños de Matilde'? Sí, lo leímos; una preciosidad.» (P. 1.422.)

Posteriormente, en el curso de la conversación, hablan de la retórica como una rama del conocimiento que se ha descuidado en la Universidad. Lo que dice la Tía es significativo: «¡Qué le vamos a hacer! Ya nos queda poco tiempo en este teatro.» (P. 1.423.) Como en otras de sus obras, Lorca se refiere a la vida como un teatro o drama. Sin insistir demasiado, conviene apuntar que en esta ocasión se concibe la vida como un sistema fijo. El escenario está dispuesto, los actores ya tienen su guión escrito y no falta el director. La respuesta de Martín generaliza sus propios esfuerzos encaminados, en la medida de lo posible, a hacer el drama más llevadero: «Y hay que emplearlo en la bondad y en el sacrificio.» (P. 1.423.) Esta visión coloca sólidamente a Lorca dentro de las enseñanzas de la doctrina cristiana.

Se oyen voces en la escuela de al lado, y Martín ha de dirigirse allí para restaurar la paz. La Tía, refiriéndose a él, dice: «Pobre, ¡qué sino el suyo!» (P. 1.424.) Comprende su situación sólo en base al destino.

El Ama condena a los ricos, que han adjudicado a Martín un papel tan bajo y que generalmente explotan a los pobres. Los ricos —dice— nunca podrán ir al cielo, pero ella sí:

Yo entro en el cielo a la fuerza. *(Dulce.)* Con usted. Cada una en una butaca de seda celeste que se meza ella sola, y unos abanicos de raso grana. En medio de las dos, en un columpio de jazmines y matas de romero, Rosita meciéndose, y detrás, su marido cubierto de rosas, como salió en su caja de esta habitación: con la misma sonrisa, con la misma frente blanca, como si fuera de cristal, y usted se mece así, y yo así, y Rosita así, y detrás el Señor, tirándonos rosas, como si las tres fuéramos un paso de nácar lleno de cirios y caireles. (P. 1.425.)

Por lo que se refiere al libre albedrío y el determinismo, el cuadro del cielo presentado por el Ama es significativo. Acepta la muerte como inevitable. Con otras dos mujeres, Rosita y la Tía, la esperará. No obstante, sólo la puede aceptar si tiene un mayor significado, si las posibilidades que la vida le niega les garantiza una muerte cierta. Su cuadro del cielo proyecta el deseo de los humanos de crear un mundo sensible a sus anhelos; un mundo en que el deseo y el acto sean todo uno, un mundo de realización de la voluntad. Los procesos naturales de la vida y el determinismo social sirven para sofocar y frustrar el libre albedrío e incluso para negar su existencia. Por ello la muerte ha de restaurarlos.

La familia se encuentra en apuros económicos. El Tío, su cabeza, está muerto y lo había hipotecado todo. La Tía dice: «... Lo que sacamos es lo sucinto, la silla para sentarnos y la cama para dormir.» (P. 1.426.) Rosita la corrige: «Para morir.» (P. 1.426.) Rosita, como la rosa que describió en su canción, está muriendo emocionalmente. Se ha rodeado de una realidad creada a partir de su frustración: «Yo lo sabía todo. Sabía que se había casado; ya se encargó un alma caritativa de decírmelo, y he estado recibiendo sus cartas con una ilusión llena de sollozos que aun a mí misma me asombraba.» (P. 1.248.) Su negativa a aceptar la derrota era tan fuerte que creó su propio mundo ilusorio, en el que se conservaban las posibilidades para el libre albedrío.

Ahora que su ilusión se ha roto está acabada para siempre. No hay esperanza para ella. Ve todo su futuro fijo, irreversible. Es una víctima del destino. Se expresa de este modo:

Yo soy vieja. Ayer le oí decir al Ama que todavía podía yo casarme. De ningún modo. No lo pienses. Ya perdí la esperanza de hacerlo con quien quise con toda mi sangre, con quien quise y... con quien quiero. Todo está acabado..., y, sin embargo, con toda la ilusión perdida, me acuesto, y me levanto con el más terrible de los sentimientos, que es el sentimiento de tener la esperanza muerta... (P. 1.429.)

También se queja de las duras condiciones que hay que sufrir debido a que, pese a sentir que la esperanza toma su último aliento, no deseamos que muera, aun con la seguridad de un destino adverso: «Quiero huir, quiero no ver, quiero quedarme serena, vacía... (¿es que no tiene derecho una pobre mujer a respirar con libertad?). Y, sin embargo, la esperanza me persigue, me ronda, me muerde.» (P. 1.429.)

La Tía le dice a Rosita que ha sido demasiado seria, que en realidad nunca prestó atención a ningún otro admirador. Ella responde: «Soy como soy. Y no me puedo cambiar.» (P. 1.430.) Ella ve su naturaleza y disposición fija, determinada. La hacen vulnerable a un horrible destino. Después, como en su propia situación, alude a la soledad del hombre; su condena a vivir apartado de otros hombres, compartiendo con ellos únicamente el tiempo y el lugar, pero sin comunicación: «¿Y qué os voy a decir? Hay cosas que no se pueden decir porque no hay palabras para decirlas; y si las hubiera, nadie entendería su significado...» (P. 1.430.)

Cuando la Tía le pregunta a Rosita qué debe hacer, ésta responde: «Dejarme como cosa perdida.» (P. 1.431.) La imagen que tiene de sí misma es la de una persona incapaz de cambiar su situación, a merced del destino.

La obra finaliza con los últimos versos del poema de la *Rosa mutabile*. La propia Rosita lo recita, mientras cae desmayada en brazos de su tía y el Ama: « 'Y cuando llega la noche / se comienza a deshojar.' » (P. 1.438.) La rosa, como en el poema, es un símbolo de la esperanza de Rosita. Al final de la obra aparece en su lecho de muerte, pues se ha quedado sin amor [4]. Sólo el destino ha triunfado.

En nuestro comentario sobre *Doña Rosita la soltera* observamos que el destino es una piedra de toque importante de la obra desde su comienzo y se intensifica en su transcurso, alcanzando su triunfo en el último acto. El determinismo, natural y social, están a su servicio. Vimos que los personajes reconocen el funcionamiento del sino y la predestinación, y con ese conocimiento tratan de encontrar modos, todos ellos sin

---

[4] Celia S. Lichtman nos recuerda que la rosa era sagrada para Venus y ha sido parte integrante de la poesía amorosa desde la antigüedad. (Lichtman, *op. cit.,* p. 135.)

gran trascendencia, de alcanzar el libre albedrío. Como apuntamos anteriormente, las imágenes se relacionaban en forma inseparable con la dinámica del libre albedrío, el destino y el determinismo, al influir éstos en la acción principal. Jugaban el papel de anticipación, como símbolo del destino de Rosita, y posteriormente, de resumen. En el caso del Ama, vimos que las imágenes representaban el deseo de un mundo sensible al libre albedrío.

CAPÍTULO IV

FARSAS

«AMOR DE DON PERLIMPLÍN
CON BELISA EN SU JARDÍN»

El *Amor de don Perlimplín con Belisa en su jardín* [1] puede estudiarse íntegramente en el marco del sino y el determinismo. La acción de la obra y su desenlace se basan casi exclusivamente en las limitaciones fisiológicas de Perlimplín y las imperiosas necesidades físicas de Belisa. La justificación de nuestra tesis y la clave para la comprensión de la farsa nos llega al final de la obra, cuando Perlimplín muere. Nos dice por qué se ha suicidado: «Perlimplín me mató... ¡Ah don Perlimplín! Viejo verde, monigote sin fuerza, tú no podías gozar el cuerpo de Belisa..., el cuerpo de Belisa era para músculos jóvenes y labios de ascuas...» (Pp. 1.016-1.017.) Don Perlimplín es aquí a la vez el anciano y el joven que deseaba ser y con cuya imagen torturaba a Belisa. Su limitación, su incapacidad ya determinada para gozar el cuerpo de Belisa, residía en su condición «sin fuerza» que con sus cincuenta años no podía hacer nada para cambiar, a pesar de sus deseos. Lo que hacía falta para lograr su deseo de gozar del cuerpo de Belisa eran «músculos jóvenes» y «labios de ascuas», pero ya hacía mucho que había pasado esa etapa. Como no podía ejercer su voluntad, puso fin a su vida, renunciando así a la persecución de una vida en la que la voluntad se ve frustrada para siempre [2]

[1] García Lorca, *Obras completas,* pp. 979-1.018.
[2] Celia S. Lichtman ha señalado que la muerte de Perlimplín también se relaciona con la inmolación, tal como se practicaba en las religiones primitivas. (Lichtman, *op. cit.,* pp. 57-58.)

El otro catalizador de la obra que determina su acción, al
ir unido a la limitación de Perlimplín, es la plenitud fisiológica
de Belisa. Lo sabemos porque se presenta a la muchacha enteramente como su cuerpo, con su plenitud y sus deseos. Al principio oímos su voz cantando una canción que condensa la idea
que ella va a representar:

> ¡Amor, amor!
> Entre mis muslos cerrados
> nada como un pez el sol. (P. 982.)

Cuando Perlimplín la llama con gran timidez, ella aparece
«resplandeciente de hermosura» y «medio desnuda». Ello es
un aviso de que el autor desea llamar la atención sobre el cuerpo de Belisa. Sus necesidades físicas y el dominio que éstas
ejercen sobre sus acciones se contemplan íntegramente en base
al determinismo biológico.

El punto crucial de Belisa vuelve a atraer nuestra atención
poco después de que su madre y Perlimplín hayan acordado el
matrimonio entre éste y Belisa. Nuevamente oímos su canción:

> ¡Amor, amor!
> Entre mis muslos cerrados
> nada como un pez el sol. (P. 987.)

Mientras canta «lánguidamente» está «casi desnuda». (Página 987.)

La primera escena del cuadro I se desarrolla en el dormi-
torio de Perlimplín. Es la noche de bodas, y Perlimplín y Belisa son ya marido y mujer. Se presenta a Belisa, muy al fondo
del escenario, como una criatura apasionada, resaltando su impulso sexual: «Lleva el pelo suelto y los brazos desnudos.»
(P. 988.) Conviene observar aquí la repetición de la palabra
«desnuda» cada vez que Belisa aparece.

En sus primeras palabras alude a su cuerpo. Precede sus
palabras con un gesto: «cruza las manos sobre el pecho».
(P. 989.) Entonces dice: « ¡Ay! El que me busque con ardor
me encontrará. Mi sed no se apaga nunca, como nunca se apaga
la sed de los mascarones que echan el agua en las fuentes.»
(P. 989.) Luego se refiere al calor de su cuerpo y a la música,

mientras se pone una capa roja, cuya importancia estudiaremos más adelante.

También Perlimplín ayuda a mover las ruedas sobre las que gira toda la obra. Después de declarar su amor a Belisa, le confiesa:

> Yo no había podido imaginarme tu cuerpo hasta que lo vi por el ojo de la cerradura cuando te vestías de novia. Y entonces fue cuando sentí el amor. ¡Entonces! Como un hondo corte de lanceta en mi garganta. (P. 991.)

Ahora sabemos con certeza cuáles son los deseos de Perlimplín. Vemos nuevamente que Belisa *es* su cuerpo.

Sabemos que el destino de Perlimplín ya está sellado, es decir, que su suerte está fijada, cuando los duendes hablan de él. El Duende 2.º pregunta al Duende 1.º si le están haciendo un bien o un mal a Perlimplín, a lo que el Duende 1.º responde: «Un bien..., porque no es justo poner ante las miradas del público el infortunio de un hombre bueno.» (P. 996.) Los duendes hablan mientras el manto de la noche cubre las actividades que se están desarrollando en la cama de Perlimplín y Belisa. Podemos sospechar el destino de Perlimplín: no puede poseer a Belisa. Pronto no será preciso adivinarlo, porque aparece en la cama «con unos grandes cuernos dorados». (P. 997.) Sus condiciones físicas ya han determinado su incapacidad para actuar sexualmente, dando paso a su fin. La admisión de Perlimplín de su incapacidad para poseer a Belisa es su profunda sospecha de infidelidad por parte de ella, objetivada por las cinco escalas, cada una con un sombrero debajo.

Cuando Perlimplín abraza a Belisa y siente el contacto de su cuerpo, «se separa bruscamente de ella» (P. 999.), porque ello le recuerda sus limitaciones físicas. Sus temores y sospechas crecen y le pregunta: «Pero... si te hubiera besado alguien más..., si te hubiera besado alguien más... ¿Tú me quieres?» (P. 999.)

Al final de la escena, Perlimplín recita un pequeño poema que resume muy bien las limitaciones de sus relaciones con Belisa y los presagios de su muerte:

> Amor, amor
> que está herido.
> Herido de amor huido;
> herido,
> muerto de amor.
> Decid a todos que ha sido
> el ruiseñor.
> Bisturí de cuatro filos,
> garganta rota y olvido.
> Cógeme la mano, amor,
> que vengo muy mal herido,
> herido de amor huido,
> ¡herido!,
> ¡muerto de amor! (P. 1.000.)

Como hizo Belisa anteriormente, Perlimplín se ha puesto una capa roja.

En la segunda escena, las sospechas de Perlimplín se confirman, pues Marcolfa le dice: «Figúrese, ayer la vi con otros.» (P. 1.001.) Pero ya Perlimplín ha decidido hacer algo respecto a sus limitaciones y a los deseos de Belisa. Ha decidido pasear ante los ojos de Belisa la quintaesencia del joven amante más atractivo. Este amante estimulará sus apetitos, al proyectar sobre lo que ve la enormidad y fuerza de sus deseos. Lorca utiliza aquí el triángulo amoroso, pero se sirve de un enfoque moderno, a la manera sugerida por Strindberg. Establece en su heroína la lucha entre la idea y la realidad que produce la tensión indispensable para una tragedia desde el punto de vista moderno Belisa habla de este joven amante tan deseable:

> Tampoco he conseguido verlo. En mi paseo por la alameda venían todos detrás, menos él. Debe tener la piel morena, y sus besos deben perfumar y escocer al mismo tiempo el azafrán y el clavo. A veces pasa por delante de mis balcones y mece su mano lentamente en un saludo que hace temblar mis pechos. (P. 1.002.)

Más tarde, cuando Perlimplín entrega a Belisa la carta de su amante que él interceptó y que él mismo había escrito, le dice: «Yo me doy cuenta de las cosas. Y aunque me hieren profundamente, comprendo que vives en un drama.» (P. 1.004.) Lo que Perlimplín está diciendo tiene un gran significado en cuanto al sino y al determinismo. Belisa vive en un drama y, por ello, su destino está sellado. El guión está escrito y su parte en la acción está determinada. Perlimplín conoce el sino de Belisa porque es el dramaturgo y ha concebido y escrito el guión. Pero ello es también un reflejo de su propia situación. Sus posibilidades de poseer a Belisa han quedado fijadas para siempre y, en este sentido, él también está viviendo un drama. Su deseo de poseer a Belisa no puede realizarse.

En el drama que Perlimplín está preparando para Belisa, la concibe enteramente en base a sus necesidades corporales. Jugará con estos deseos, estimulándonos constantemente, a la espera de una respuesta condicionada por los mismos; es decir, una respuesta ya determinada por las condiciones antecedentes.

Le dice a Belisa que le ayudará a conseguir a su joven amante porque «tú eres joven y yo soy viejo...» (P. 1.005.) Le pregunta por su joven admirador. Quiere saber si le ha hecho gestos. Ella responde: «Sí..., pero de una manera un poco despectiva..., ¡y eso me duele!» (P. 1.005.) Debemos recordar que Perlimplín es el joven admirador, sabe que está consiguiendo aumentar los deseos de Belisa por su joven amante y conoce la gratificación sexual que él representa.

Perlimplín describe al joven ante Belisa. Dice: «Jamás he visto un hombre en quien lo varonil y lo delicado se den de una manera tan armónica.» (P. 1.005.) Añade: «Sin saber por qué pensé en ti.» (P. 1.005.) Perlimplín, en su diabólico papel de apreciar los atributos del joven para que Belisa le encuentre más deseable, actúa como una Celestina masculina. También es una variante de *El curioso impertinente*. Perlimplín es una especie de *curioso perverso*. Belisa admite y lamenta no haber visto el rostro del joven. Perlimplín le dice que confíe en él sin temor, puesto que a él ya se le ha pasado la oportunidad para el amor físico: «Ahora te quiero como si fuera tu padre..., ya estoy lejos de las tonterías...» (P. 1.005.) Le está diciendo, en otras palabras, que ya ha aceptado sus limitaciones. Sin embargo, no es sincero. Ha aceptado amargamente el hecho de que no está en su mano el corregir su limitación. Precisamente por eso ha seguido un camino que creará limitaciones para Belisa. Es su incapacidad sexual la que le hace castigarla, asegurándose la frustración de sus deseos.

Su plan está en marcha. Ella dice de su joven admirador: «Lo que no cabe duda es que me ama como yo deseo...»

(P. 1.006.) Perlimplín la ha valorado correctamente, en base a su cuerpo, que es como ella se considera a sí misma. El joven admirador la ama del modo que ella quiere ser amada. Lo sabe porque sus cartas «hablan de mí..., de mi cuerpo...». (P. 1.006.) La concepción de Belisa como *soma* que tiene Perlimplín es perfecta. Se entusiasma con su éxito cuando Marcolfa le cuenta la reacción de Belisa ante la noticia de que el joven amante quiere una cita con ella a las diez: «Ella se puso encendida como un geranio, se llevó las manos al corazón y se quedó besando apasionadamente sus hermosas trenzas de pelo.» (P. 1.010.) Marcolfa le dice a Perlimplín que Belisa también suspiró «¡Como nunca mujer alguna lo hizo!, ¿verdad?» (P. 1.010.) Cuando Marcolfa añade «su amor debe rayar en la locura» (P. 1.010.), Perlimplín dice: «¡Eso es! Yo necesito que ella ame a ese joven más que a su propio cuerpo. Y no hay duda que lo ama.» (P. 1.010.)

No debemos olvidar el enfoque de Belisa como personaje. Se refiere a la satisfacción del amor físico. El coro y Perlimplín nos dan esa impresión:

Voces.
> Por las orillas del río
> se está la noche mojando.
> Y en los pechos de Belisa
> se mueven de amor los ramos.

Perlimplín.
> ¡Se mueren de amor los ramos!

Voces.
> La noche canta desnuda
> sobre los puentes de marzo.
> Belisa lava su cuerpo
> con agua salobre y nardos.

Perlimplín.
> ¡Se mueren de amor los ramos!

Voces.
> La noche de anís y plata
> relumbra por los tejados.
> Plata de arroyos y espejos.
> Y anís de tus muslos blancos.

Perlimplín.
> ¡Se mueren de amor los ramos! (Pp. 1.011-12.)

Cuando Belisa hace su aparición en el cuadro III para encontrarse con su amante, habla de la dulce armonía de la noche y luego dice: «He sentido tu calor y tu peso, delicioso joven de mi alma...» (P. 1.012.) Cuando el joven aparece y hace ademán de alejarse de ella, atrae su atención hacia ella y le indica que cambie de dirección. Él le hace señas de que vuelve en seguida, y ella dice: «¡Oh, sí..., vuelve, amor mío! Jazminero flotante y sin raíces, el cielo caerá sobre mi espalda sudorosa...» (P. 1.012.)

Perlimplín la sorprende esperando a su amante. Le pregunta si aún lo espera, y ella responde: «¡Con más ardor que nunca!» (P. 1.013.) Su deseo de amor físico, personificado por el joven, es tan fuerte que le dice a Perlimplín: «El olor de su carne le pasa a través de su ropa.» (P. 1.014.) Tan poderoso es su amor y deseo por el joven que «¡me parece que soy otra mujer!». (P. 1.014.) En otras palabras, sus deseos físicos tienen vida y designios propios y deben seguir su curso, determinando sus acciones.

Perlimplín canta victoria por su idea. Su concepción determinista de Belisa era exacta. Él comenta su incontrolable deseo por el joven. Dice que es «el triunfo de mi imaginación». (P. 1.014.) Él determinó el sino de Belisa dentro del drama que montó en torno a sus deseos animales y ahora le proporciona el primer indicio de lo que ha hecho. Ella no poseerá al joven, lo mismo que él no pudo poseerla a ella. Belisa le pregunta si realmente le está ayudando a conseguir al joven. Él responde: «Como ahora te ayudaré a llorarlo.» (P. 1.014.) Ella pregunta, perpleja: «Perlimplín, ¿qué dices?» (P. 1.014.) Y ahora también a nosotros nos es más fácil comprender su anterior afirmación, cuando decidió ayudarla a conquistar a su amante. Dijo: «Y sé que tú me eres fiel y lo seguirás siendo.» (P. 1.004.) Puesto que no existe un ser real en la imagen del joven amante, tal como Belisa lo percibe, no puede serle infiel a Perlimplín.

Perlimplín actúa ahora, sellando el destino de Belisa; es decir, dejándola eternamente frustrada cuando creía tener en su mano la realización de sus deseos. Él se suicidará, matando así al joven amante, a quien Belisa nunca poseerá. Le dice que va a clavarle un puñal a su amante. Le dice a Belisa que quiere estar seguro de que nunca la abandonará, puesto que le ama tanto. Para ello matará a su amante. Dice: «Él te querrá con el amor infinito de los difuntos, y yo quedaré libre de esta oscura pesadilla de tu cuerpo grandioso. *(Abrazándola.)* ¡Tu cuerpo!..., ¡¡¡que nunca podría descifrar!!!» (P. 1 015.) Belisa, aun sin comprender, piensa que puede evitar que mate a su amante. Llama a Marcolfa para que le baje una espada, «... que voy a atravesar la garganta de mi marido...». (P. 1.016.)

Perlimplín, disfrazado de joven, se clava una daga en el corazón. Le dice a Belisa: «Tu marido acaba de matarme con este puñal de esmeraldas.» (P. 1.016.) Belisa queda espantada, porque es Perlimplín el que está herido de muerte. Moribundo, le dice a Belisa: «Yo soy mi alma y tú eres mi cuerpo.» (P. 1.017.) Nunca hubiera podido poseerla, y ella sólo ansiaba ser poseída. También aquí Lorca nos aclara lo que sospechábamos y comentábamos anteriormente: Belisa es su cuerpo. Así la obra se ocupa también del tema medieval de la lucha entre el cuerpo y el alma. Como buen español que es, Lorca no permite que el cuerpo triunfe, pese a su posición preeminente en la obra y a su fuerza consumidora. Hubo un fin desastroso para Perlimplín y Belisa. Las condiciones físicas de él determinaron su sino. El de ella también estaba sellado por la frustración de su marido, al usar éste la dinámica del impulso sexual de Belisa para empujarla donde no había posibilidad de realización, excitando sus apetitos hasta alcanzar un crescendo.

Belisa se da cuenta de lo que Perlimplín le ha hecho. Le pregunta: «Sí..., pero ¿y el joven?... ¿Por qué me has engañado?» (P. 1.017.) Pero muere sin darle la respuesta. Perlimplín ha de ser un viejo diabólico para haber concebido un plan como éste. Sin embargo, sus sentimientos hacia sí mismo no le permitían llevar una vida deshonrosa, especialmente teniendo en cuenta que Belisa exhibía su cuerpo en forma tan descarada, grabándose gráficamente sobre su consciencia de su total incapacidad.

Perlimplín ha conseguido frustrar totalmente los deseos sexuales de Belisa. Aun cuando se da cuenta de que el joven era Perlimplín, no puede dominar su deseo de encontrarse con su amante. Le dice a Marcolfa: «Sí, sí, Marcolfa, le quiero, le quiero con toda la fuerza de mi carne y de mi alma. Pero ¿dónde está el joven de la capa roja?... Dios mío, ¿dónde está?» (P. 1.018.) Se queda deseando lo que más necesitaba cuando se casó: el amor físico. No pudo encontrar el amor porque se casó con un hombre que no podía satisfacer las demandas de tal ocasión. Lorca vuelve a insistir en el uso del hombre sexualmente inhábil en la acción principal de la obra.

La importancia de Marcolfa para la acción principal de la farsa no requiere elaboración. Ayuda a Perlimplín a llevar a cabo su plan de engañar a Belisa. Su papel secundario puede explicarse también en base al libre albedrío y al determinismo. No consigue ninguno de sus deseos al ayudar a que Belisa y Perlimplín se casen. Su función técnica, por tanto, es su único acto «libre». Por lo demás, está a la disposición de Perlimplín. Su papel está determinado por su clase social.

La madre de Belisa tiene sólo una función técnica: la de asegurar la unión entre Perlimplín y su hija. Decide que Belisa se case con Perlimplín, y a ésta no le queda más remedio que obedecer. (Prólogo, pp. 984-985.) La obediencia de la hija puede explicarse simplemente en base al determinismo social. La madre también ayuda a orientar al auditorio en cuanto a la forma en que debe considerar a Belisa: en términos de plenitud física. Cuando habla a Perlimplín de la muchacha, se refiere a una promesa de pasión: «Es una azucena. ¿Ve usted su cara? (Bajando la voz.) ¡Pues si la viera por dentro!... Como de azúcar...» (P. 985.) Por tanto, los personajes secundarios de la obra están estrechamente relacionados con la acción principal y contribuyen a ella precisamente en la forma en que la farsa está concebida.

No es necesario tratar separadamente la influencia del destino sobre el personaje de Belisa, puesto que ya hemos visto que está concebida enteramente en base al determinismo biológico, que es como ella se ve a sí misma desde su primera aparición y como la ve Perlimplín. En gran medida, la esencia de la obra deriva de la forma determinista en que Belisa está concebida.

También las limitaciones de Perlimplín se han destacado como uno de los rasgos principales de la obra. Podemos observar, además, que su incapacidad para poseer a Belisa le llena de desconfianza. Inmediatamente le pregunta por las cinco escalas y los correspondientes sombreros que hay en su base. (Cuadro I, p. 998.) Poco después empieza a preguntarse si alguien más ha besado a Belisa. Quizá es en este momento de sospecha y temor cuando trama su plan para frustrar las esperanzas de su esposa, tal como ella ha frustrado las suyas en su noche de bodas.

Su plan puede considerarse, desde el punto de vista del carácter, como un intento de formar un mundo que gire a su alrededor, al que pueda escapar del otro mundo más limitado y duro, pero que, sin embargo, suavice sus deficiencias y le ayude a manipular ciertos aspectos del mundo real. Sólo tenemos que recordar dos de sus afirmaciones: 1) que sabe que Belisa está viviendo un drama (P. 1.004.), y 2) que su imaginación ha triunfado. (P. 1.014.)

Las imágenes que aparecen en la obra realzan la esencia de la acción principal. Cuando Perlimplín se enfrenta por primera vez con la cuestión del matrimonio, le dice a Marcolfa: «Cuando yo era niño, una mujer estranguló a su esposo. Era zapatero. No se me olvida. Siempre he pensado no casarme.» (P. 981.) Perlimplín evoca esta anécdota como referencia a lo que puede ocurrirle si se casa. En su mente, por tanto, el matrimonio y la muerte están estrechamente relacionados. Ésta es la primera y ligerísima pincelada del esquema de su sino.

Ya hemos mencionado más arriba, al comentar el papel de la madre de Belisa, la comparación entre ésta y el azúcar. (P. 985.) La plenitud de Belisa, su dulzura a punto de saborearse, son sus aspectos más importantes para la acción de la obra.

En la noche de bodas, Perlimplín ve a Belisa, su flamante esposa, vestida para el lecho nupcial y describe su atuendo: «Belisa, con tantos encajes pareces una ola y me das el mismo miedo que de niño tuve al mar.» (P. 988.) Los adornos de su camisa representan la fuerza vital de su cuerpo, y Perlimplín la teme. Ya se siente inseguro de su capacidad para contener la corriente de las poderosas olas; es decir, de sus deseos sexuales. Tal incapacidad subraya su edad, que es la antesala de la muerte. Luego, nuevamente aparece la imagen de la muerte en conexión con el matrimonio, pero más concretamente con el amor sexual. Ello nos proporciona una nueva pincelada, y el esquema del destino de Perlimplín se va aclarando.

También en la noche de bodas, Belisa proclama su disposición para ser poseída. Alude a su temperatura emocional: «¡Ay, qué música, Dios mío! ¡Qué música! ¡Como el plumón caliente de los cisnes!... ¡Ay!, ¿soy yo?» (P. 989.) Y se pone una gran capa roja sobre los hombros. (P. 989.) La capa simboliza la sangre, su sangre, que hierve con el calor de su pasión. La capa roja también representa su sangre joven y la clase necesaria para juntarse con la suya en el amor sexual. Nos anticipa el deseo al que Perlimplín nunca renunciará y que lleva sobre sus hombros. Cuando el joven amante, que en realidad es Perlimplín, aparece con la capa roja, ya estamos preparados para una imagen como ésta. (P. 1.012.)

Nuestra interpretación del simbolismo que encierra la capa roja ganará apoyo si tenemos en cuenta lo siguiente: Cuando Belisa pregunta a Perlimplín si el joven que acaba de saltar la tapia del jardín llevaba una capa roja, éste responde: «Roja como su sangre» (P. 1.015.), mientras saca la daga para quitarse la vida. Más tarde, Marcolfa dice que va a enterrar a Perlimplín con «... el rojo traje juvenil con que paseaba bajo sus mismos balcones». (P. 1.017.) Marcolfa añade: «Yo le haré una corona de flores como un sol de mediodía.» (P. 1.018.) Perlimplín necesitaba ser un sol de mediodía para juntarse con el calor de Belisa y poseerla. Ni lo era ni la pudo tener, pero él nunca aceptó que su voluntad se viera frustrada.

Mientras habla con Marcolfa, Perlimplín le cuenta una anécdota:

> El amor de Belisa me ha dado un tesoro precioso que yo ignoraba... ¿Ves? Ahora cierro los ojos y... veo lo que quiero...; por ejemplo..., a mi madre cuando la visitaron las hadas..., pequeñitas... ¡Es admirable, pueden bailar sobre mi dedo meñique! (P. 1.009.)

Lo que dice se relaciona con el uso intensificado que está haciendo de su imaginación; es decir, las mayores posibilidades de crear un mundo en el que pueda escapar y suavizar su desgracia personal.

Hemos visto que las imágenes están entretejidas en forma inseparable con la trama de la obra. Sirven de anticipación al intensificar aspectos del carácter y del tema en el marco del sino y el determinismo.

Hemos visto que *Amor de don Perlimplín con Belisa en su jardín* está concebido enteramente en base al sino y al determinismo, y que este último sirve de fundamento para sellar el destino y que no hay ninguna oportunidad de ejercer el libre albedrío. Hemos observado que el determinismo funciona como la limitación física de Perlimplín y los deseos fisiológicos de Belisa. Apuntamos la imagen que tanto Belisa como Perlimplín tienen de sí mismos, en base al determinismo, y la influencia que tiene en sus caracteres. Finalmente, hemos mostrado el funcionamiento de estos dos elementos a través de las imágenes de la obra, como anticipación de la acción e intensificación de los caracteres y el tema.

«LA ZAPATERA PRODIGIOSA»

En *La zapatera prodigiosa* [3], el zapatero y su mujer son víctimas del matrimonio. Él había consagrado toda su vida a conseguir la paz y evitar los escándalos, y lo que ha encontrado en su matrimonio es exactamente lo contrario a sus deseos. Ella esperaba excitación y placer y, en cambio, sólo ha conseguido aburrimiento. Ambos creen que la institución del matrimonio ha frustrado toda iniciativa personal para cambiar su situación. Al reaccionar ante su situación, sólo pueden ejercer su voluntad para cambiar esas circunstancias o adaptarse a ellas. Tenemos la oportunidad de ver cómo los propios interesados consideran su situación desde el punto de vista de su capacidad para cambiarla; es decir, en base al libre albedrío y al determinismo.

La zapatera empieza a mostrar su insatisfacción por su vida al principio de la obra. Pregunta retóricamente:

> ... Quien me hubiera dicho a mí, rubia con los ojos negros, que hay que ver el mérito que esto tiene, con este talle y estos colores tan hermosísimos, que me iba a ver casada con..., me tiraría del pelo. (P. 913.)

García Lorca, *Obras completas,* pp. 911-978.

Piensa que merecía mejor suerte. Casi no puede creer que ha terminado con un viejo zapatero por marido[4], cuando ella deseaba y, en su opinión, merecía más. Se siente engañada, como si unas fuerzas fuera de su control conspiraran contra ella. No puede haber decidido libremente casarse con el zapatero. Sin duda, fue víctima del destino.

Ella misma señalará otro aspecto de su matrimonio. Es una limitación; es su destino. El Niño acepta una muñeca como regalo de la zapatera. Dice: «Me la llevaré, porque como yo sé que usted no tendrá nunca niños...» (P. 914.) Esto provoca su ira. Dice: «¿Hijos? Puede que los tenga más hermosos que todas ellas y con más arranque y más honra, porque tu madre..., es menester que sepas...» (P. 915.) Lo que el niño ha dicho y el arranque de ella nos ayuda a descubrir su secreto deseo. Ella quiere tener niños; pero el no tenerlos es su destino. Por tanto, su voluntad se ve frustrada.

La zapatera continúa intranquila y expresa su descontento: «... Si hubiera reventado antes de nacer, no estaría pasando estos trabajos y estas tribulaciones. ¡Ay dinero, dinero!, sin manos y sin ojos debería quedarse el que te inventó.» (P. 915.) Desea haber muerto antes de nacer. Considera que su nacimiento es inmediatamente responsable de su situación. La única forma de haberlo evitado sería no haber nacido. Tal como ella lo ve, su presente situación deriva de su nacimiento, un incidente que no podía controlar. Es una clara alegación al destino. Lo que dice al final respecto al dinero es un intento de adjudicarle parte de la responsabilidad por sus dificultades. Observa su poder, contra el que la voluntad humana es a veces ineficaz. Hasta el dinero está dotado de poder para militar contra sus mejores intereses.

Pero tampoco su marido está contento con su suerte: «A mí no me importa nada de nada. Yo sé que tengo que aguantarme.» (P. 915.) Está claro que recibiría con gusto cualquier cambio que le produjera satisfacción, y, sin embargo, en el futuro, no piensa hacer nada por cambiar su situación. Quizá ve el matrimonio como una institución social demasiado poderosa para deshacerla. En cualquier caso, debe adaptar su volun-

[4] Francesca M. Colecchia alude al conflicto entre la realidad y la fantasía en la personalidad de la zapatera. (Colecchia, *op. cit.,* p. 24.)

tad a una situación que, de momento, le parece insoluble. También la zapatera dice: «También me aguanto yo..., piensa que tengo dieciocho años.» (P. 916.)

El zapatero se lamenta de su edad: «Pero, ¡ay!, si tuviera cuarenta años o cuarenta y cinco, siquiera...» (P. 916.) Reconoce su incapacidad para resolver su problema en cierto modo debido al determinismo natural. También su mujer reconoce que si él fuera más joven, podría remediar su situación. Su reacción ante el deseo del zapatero no deja lugar a dudas: «Entonces yo sería tu criada, ¿no es esto?» (P. 916.)

El zapatero y la zapatera siguen expresando su insatisfacción por su matrimonio. Ninguno de los dos hace nada por introducir alguna mejora en las circunstancias. Ella dice: «¡Ay, tonta, tonta, tonta! *(Se golpea la frente.)* Con tan buenos pretendientes como yo he tenido.» (P. 917.) Añade:

> ...Porque vamos a ver: ¿por qué me habré casado? Yo debía haber comprendido, después de leer tantas novelas, que las mujeres les gustan a todos los hombres, pero todos los hombres no les gustan a todas las mujeres. ¡Con lo bien que yo estaba! (Pp. 918-919.)

El zapatero se considera como una víctima cuya situación está fuera de su control. Le dice a una vecina: «¿Qué quiere usted que le haga? Pero comprenda mi situación: toda la vida temiendo casarme..., porque casarse es una cosa muy seria, y, a última hora, ya lo está usted viendo.» (P. 919.) Parte de su infelicidad se debe a las extravagancias de su mujer, a su crueldad para con él. Aun así, no hace ningún esfuerzo por cambiar su situación. Es débil porque cree que las fuerzas que le rodean son más poderosas. Continúa lamentándose ante la vecina:

> Anteayer... despedazó el jamón que teníamos guardado para estas Pascuas y nos lo comimos entero. Ayer estuvimos todo el día con unas sopas de huevo y perejil; bueno, pues porque protesté de esto me hizo beber tres vasos seguidos de leche sin hervir. (P. 920.)

Más tarde le dice a su mujer lo que siempre ha ansiado: paz. «Mira, hija mía. Toda mi vida ha sido en mí una verdadera preocupación evitar el escándalo.» Pero su vida es un constante alboroto. Su mujer aumenta la confusión disputando con sus clientes. Es más, él y su esposa siempre están en continuo desacuerdo, hasta que hace algo por corregir la situación.

El alcalde del pueblo visita al zapatero y le dice cómo manejar a las mujeres. Casi no puede creer que el zapatero permita que su mujer le atormente constantemente. Él ha sido capaz de dominar su casa y a todas sus mujeres. Su voluntad siempre ha prevalecido. Le dice al zapatero cómo !o ha hecho:

> ... Si tu mujer habla por la ventana con todos, si tu mujer se pone agria contigo, es porque tú quieres, porque tú no tienes arranque. A las mujeres, buenos apretones en la cintura, pisadas fuertes y la voz siempre en alto, y si con esto se atreve a hacer kikirikí, la vara; no hay otro remedio. (P. 925.)

También el zapatero esperaba entenderse con su mujer. Dependía de su generosidad y un poco de soborno para ganársela. Pero no logró los resultados deseados. Le dice al alcalde:

> ... Al principio creí que la dominaría con mi carácter dulzón y mis regalillos: collares de coral, cintillos, peinetas de concha..., ¡y hasta unas ligas! Pero ella..., ¡siempre es ella! (P. 925.)

Cuando el alcalde le pregunta por qué se casó si no es capaz de resolver las dificultades que el matrimonio representa, dice que a él también le cuesta trabajo comprenderlo: «... Yo no me lo explico tampoco. Mi hermana, mi hermana tiene la culpa.» (P. 926.) Su hermana, sin embargo, utilizó la persuasión para convencerle. Pero él, un hombre incapaz de convertir sus deseos en realidad, un hombre con poca fuerza de voluntad, no pudo resistir a la persuasión de su hermana.

El zapatero también es supersticioso. Su mujer coge una silla y empieza a darle vueltas. Inmediatamente él coge otra silla y le da vueltas en sentido contrario. Él protesta: «Si sabes que tengo esa superstición, y para mí eso es como si me diera un tiro, ¿por qué lo haces?» (P. 928.) Él cree que fuerzas desconocidas, representadas por sus supersticiones, pueden dañarle. Esta creencia es una alusión al destino: fuerzas malignas que no puede controlar, pero que pueden poner su vida en peligro. La zapatera, como su marido, es incapaz de convertir sus de-

seos en realidad. De su conversación con el Mozo podemos
percibir su deseo insatisfecho. Le dice: «... A mí las tarjetas
postales me gustan mucho, sobre todo las de novios que se van
de viaje...» (P. 931.) Lo que realmente quiere es un poco de
ternura y emoción en su vida. No tiene ni una cosa ni otra.

Para conseguir algún sustitutivo de emoción toma por costumbre el coquetear con todos los hombres que la rodean. Las
cosas han llegado a un punto en que el marido cree que tendrá
que hacer algo. Se pregunta, sin embargo, lo que la gente diría
si abandonara a su mujer: «... ¡Tengo razón para marcharme!
Quisiera oír a la mujer del sacristán, pues ¿y los curas? ¿Qué
dirán los curas? Eso será lo que habrá que oír.» (P. 931.) En
otras palabras, su conducta le preocupa especialmente por la
reacción del orden social. Todas esas gentes cuya opinión le
interesa son los guardianes de la moralidad, del determinismo
social, y cualquier decisión que tome para resolver su problema será juzgada por ellos. Por tanto, operan como una fuerza
que limita su decisión. Sin embargo, opta por abandonar a su
mujer, ejerciendo, por primera vez, su libre albedrío para resolver su problema. (Acto I, p. 933.)

La zapatera, como más tarde veremos en forma aún más
convincente, es consciente de sus deberes de esposa: de lo que
debe hacer por su marido según las costumbres de la sociedad.
A pesar de su anterior reto a su marido de que se buscara la
comida en otro sitio, le ha preparado un plato especial. Después de llamarle para comer dice:

> ... Mi cocido, con sus patatas de la sierra, dos pimientos verdes,
> pan blanco, un poquito de magro de tocino, y arrope con calabaza
> y cáscara de limón para encima, porque lo que es cuidarlo, lo que
> es cuidarlo, ¡lo estoy cuidando a mano! (P. 934.)

En el acto II vemos claramente la firmeza de la zapatera.
Sabe cuál debe ser su conducta como mujer casada y dice que
será fiel a su marido, aunque la haya abandonado:

> Pues si dices tú, más digo yo, y puedes enterarte, y todos los
> del pueblo, que hace cuatro meses que se fue mi marido y no ce-
> deré a nadie jamás, porque una mujer casada debe estarse en su
> sitio como Dios manda. (P. 942.)

Vemos aquí no sólo su reconocimiento de cómo la sociedad, o el determinismo social, limitan la conducta de una mujer casada, sino también su fuerza para ejercer su libre albedrío, siguiendo los dictados de la sociedad. Tiene dos alternativas: ser fiel a su marido o responder a los avances del Mozo. Está preparada para defenderse del mozo y el resto de los vecinos, para proteger su honor. Afirma que tiene fuerzas para hacerlo, basándose en la herencia o determinismo natural: «Y que no me asusto de nadie, ¿lo oyes?, que yo tengo la sangre de mi abuelo, que está en gloria, que fue desbravador de caballos y lo que se dice un hombre.» (Pp. 942-943.)

El Mozo, cuyos deseos se han visto frustrados por la fortaleza de la zapatera que ejerce su libre albedrío, se expresa así:

> Tengo tanto coraje que agarraría a un toro de los cuernos, le haría hincar la cerviz en las arenas y después me comería sus sesos crudos con estos dientes míos, en la seguridad de no hartarme de morder. (P. 943.)

Su voluntad se ha visto frustrada por otra más fuerte.

La zapatera tendrá otras oportunidades de ejercer su libre albedrío y conservar su autorrespeto de acuerdo con el patrón de comportamiento establecido por la sociedad. El alcalde trata de seducirla. Intenta adularla, dejando claro el objeto de su atención:

> ... Pero como tú no hay nadie. Anteayer estuve enfermo toda la mañana porque vi tendidas en el prado dos camisas tuyas con lazos celestes, que era como verte a ti, zapatera de mi alma. (P. 945.)

Pero no es capaz de traspasar su guardia. A continuación intenta el soborno. Le promete una casa lujosa, amueblada «con un estrado que costó cinco reales, con centros de mesa, con cortinas de brocatel, con espejos de cuerpo entero...». (P. 951.) Pero también contra esto se resiste. Finalmente, trata de utilizar el poder de su cargo: «Acabaré metiéndote en la cárcel.» (P. 952.) Su respuesta está a la misma altura: « ¡Atrévase usted! » (P. 952.) Ha tomado su decisión de ser fiel a su marido y no hay fuerza capaz de torcer su voluntad. Ha ejercido el libre albedrío [5].

[5] María Teresa Babín ha observado la similitud entre la zapatera y doña Frasquita en *El sombrero de tres picos*, de Alarcón, y entre el

Cuando los vecinos amenazan a la zapatera, ella apela nuevamente a su herencia para que le proporcione la fuerza necesaria para enfrentarse a ellos. Dice: «Pues aquí estoy, si se atre-
ven a venir. Y con serenidad de familia de caballistas que han
cruzado muchas veces la sierra, sin hamugas, a pelo sobre los
caballos.» (P. 973.) Aunque ejerce su libertad de elección para
resistir a la tentación y a las amenazas, considera que la base
de su fuerza proviene en parte de sus antepasados. Refuerza la
idea del determinismo natural.

Le dice a su marido, sin conocerle, pues va disfrazado de
titiritero, que le pesa mucho la soledad causada por la ausencia
de su esposo. Cuando él le pregunta por qué no cambia de vida,
responde que se ha resignado con su situación: «... ¿Qué voy
a hacer? ¿Dónde voy así? Aquí estoy y Dios dirá.» (P. 974.)
Cuando el titiritero le revela su verdadera identidad, se pone
contenta. Ella ha estado esperando que él volvería. Le dice:
«¡Corremundos! ¡Ay, cómo me alegro de que hayas venido!
¡Qué vida te voy a dar! ¡Ni la Inquisición! ¡Ni los templa-
rios de Roma!» (P. 978.) Ve su posición social restaurada, la
posición que tan valientemente ha ejercido su voluntad para
preservar. Aquí Lorca usa el poder de las normas morales de
la sociedad: el honor de una mujer, como fuerza mitigadora
de su exuberancia y sensualidad.

Las imágenes relacionadas con el libre albedrío y el determinismo aparecen hacia el final del acto I. Poco después de
que el zapatero abandone su casa, el Niño viene a decirle a la
zapatera que su marido le ha dejado. Nada más empezar a
hablar aparece una mariposa. Trata de cogerla, pero ésta no se
posa. Finalmente se va, mientras la zapatera, que también ha
tomado parte en la caza, dice: «¡Que se escapa, que se escapa!» (P. 937.) La mariposa es el símbolo de la libertad, lo
que la zapatera quiere. Y, lo que es más importante para la
obra, representa al zapatero que ha escapado. De ello quizá
resulte una mayor libertad para él. La imagen funciona aquí
como resumen de la acción y anticipación de lo que el niño va

---

alcalde y el corregidor de la novela de Alarcón. (Babín, p. 54.) Estamos
de acuerdo con ello y sugerimos, además, que la conducta libertina del
comendador del teatro del Siglo de Oro (especialmente el de Lope) le
proporciona a Lorca un modelo.

a decirle a la zapatera. Una vez que ha escapado la mariposa, el muchacho actúa como si ya le hubiera dicho a la zapatera que su marido la ha abandonado. Dice: «¡Es verdad!... Pero ¡yo no tengo la culpa!» (P. 937.) No puede culparse al muchacho de la deserción del zapatero. Está claro que se refiere a la mariposa, estableciendo la conexión entre la fuga de ésta, de la que no tiene la culpa, y el abandono del marido.

Al final del acto II aparecen las vecinas insultando y reprochando a la zapatera por la deserción de su marido. Las mujeres están vestidas de colores violentos y llevan grandes vasos con refrescos. Lorca nos dice en sus instrucciones escénicas: «Giran, corren, entran y salen alrededor de la zapatera, que está sentada, gritando con la prontitud y ritmo de baile. Las grandes faldas se abren a las vueltas que dan.» (P. 938.) La danza es como la rueda de la fortuna. El sino de la zapatera se ha tejido y decidido en otra parte, fuera de su control. No puede hacer más que sentarse a gritar: su marido se ha ido; puede volver o no volver.

En nuestro comentario de *La zapatera prodigiosa* vimos el funcionamiento de la predestinación, principalmente a través del determinismo social, encarnado en la institución del matrimonio. Vimos que durante un tiempo ni el zapatero ni su mujer se sentían capaces de cambiar las condiciones en que estaban viviendo, aunque ambos deseaban el cambio. Ambos explicaron que estaban atrapados por el matrimonio como resultado de fuerzas que quedaban fuera de su control. Tanto el zapatero como su mujer ejercieron el libre albedrío, cada uno a su modo. El zapatero vio en la deserción el medio de resolver su dilema, y la utilizó; mientras las zapatera, resignándose con su suerte de esposa abandonada, fue capaz de salvar su honra y ser fiel a su marido por medio del ejercicio de su libre albedrío. Ya apuntamos que las imágenes se relacionaban con el libre albedrío y el determinismo y que funcionaban como anticipación y resumen, a través de sus símbolos.

CAPÍTULO V

TEATRO EXPERIMENTAL, FARSAS PARA GUIÑOL, TEATRO BREVE

«ASÍ QUE PASEN CINCO AÑOS»

En *Así que pasen cinco años*[1] Lorca hace varias afirmaciones relacionadas con el libre albedrío y el determinismo. No puede decirse, sin embargo, que la obra esté concebida enteramente en estos términos. El autor se interesa más por su completo experimento surrealista, en el que el tiempo es la preocupación principal. Todo lo que ocurre en escena está teniendo lugar en la mente del Joven. Los distintos personajes son manifestaciones o proyecciones de la memoria, los temores, las aspiraciones y hasta la neurosis y realmente representan diversos aspectos de la compleja personalidad humana. Objetivamente, sin embargo, debemos tratar la obra en forma convencional, pues, aunque los demás personajes son sólo manifestaciones de las múltiples facetas de una sola persona, los vemos ante nosotros[2].

En el acto I hay una escena en que aparecen un niño y una gata. Ambos están muertos. No querían morir, pero no tuvieron otra alternativa. Ahora que han dejado de vivir expresan su resistencia ante la muerte en términos de su oposición al entierro. El Niño dice: «Yo no quiero que me entierren.» (P. 1.065.) Le explica a la gata lo que el entierro significa:

---

[1] García Lorca, *Obras completas,* pp. 1.045-1.144.
[2] Virginia Higginbotham y otros han señalado que en esta obra sólo hay un personaje: el Joven. Los demás son producto de su imaginación y facetas de su personalidad. (Higginbotham, *op. cit.,* p. 122.)

«Vienen a comernos.» (P. 1.066.) Cuando la gata le pregunta quién, el niño es más explícito: «El lagarto y la lagarta, / con sus hijitos pequeños, que son muchos.» (P. 1.066.) Mientras buscan el camino para escapar, la gata dice: «Está la puerta cerrada. / Vámonos por la escalera.» (P. 1.067.) Pero no pueden escapar. Los llevan a enterrar. Aquí hace Lorca una simple afirmación respecto al sino de los seres vivientes, incluyendo al hombre: su destino es la muerte. Es irrevocable, pese a la resistencia de sus futuras víctimas, pese a cualquier deseo o plan que hayan concebido en un intento de retrasarla. Ello se afirma aquí con más fuerza, puesto que los dos personajes, el niño y la gata, ya están muertos. Los vemos ya atrapados por el destino. Su deseo de vivir se expresa en forma de resistencia a ser enterrados.

Lorca está expresando aquí el miedo a la muerte del joven. Quizá el niño y la gata vuelven al período temprano de la vida del joven, cuando era un niño. El tiempo ha pasado y esa etapa está muerta; todo el tiempo pasado pertenece al reino de la muerte. La gata es la concepción de la muerte de la adolescencia del joven. Debe haber visto un gato muerto en su infancia, quizá el suyo, al que amaba mucho. La muerte del gato debe haberle hecho temer por su propia seguridad.

La aparición del niño y la gata tiene lugar en una escena aparte y a primera vista parece que no tiene relación con el resto de la obra. Pero el propio Lorca nos llama la atención sobre el nexo que las une. El criado del joven entra a pedir la llave del tejadillo del jardín, porque quiere quitar un gato muerto que los niños han arrojado sobre él. El amigo del joven dice que no le importa el gato muerto: «Al que no le interesa es a mí, que sé positivamente que la nieve es fría y que el fuego quema.» (P. 1.071.) Al amigo no le interesa nada que sea tan irrevocable como la muerte, cuya naturaleza determinada expresa en términos de determinismo químico: la nieve es fría y el fuego quema.

En el mismo acto, otro joven, el Amigo 2.º, entra. Dice que dos niños a quienes conocía de pequeño le ayudaron a entrar por la ventana. Es una afirmación un tanto extraña, puesto que los niños tendrían que ser adultos como él. Lorca sólo trata de ayudarnos a comprender el problema del tiempo que está explorando. El absurdo de la frase del Amigo 2.º es una sugerencia de que los niños que mataron a la gata son de la misma generación que el Joven. Por tanto, el incidente de la gata muerta tuvo lugar durante su infancia. El Amigo 2.º añade:

> La lluvia es hermosa. En el colegio entraba por los patios y estrellaba por las paredes a unas mujeres desnudas, muy pequeñas, que lleva dentro. ¿No las habéis visto? Cuando yo tenía cinco años..., no; cuando yo tenía dos..., miento; uno, un año tan sólo. Es hermoso, ¿verdad? Un año cogí una de estas mujercillas de la lluvia y la tuve dos días en una pecera. (P. 1.073.)

El Amigo 1.º le pregunta si la mujercilla creció. A ello responde el Amigo 2.º: «No; se hizo cada vez más pequeña, más niña, como debe ser, como es lo justo, hasta que no quedó de ella más que una gota de agua. Y cantaba una canción...» (P. 1.074.) Debemos tener en cuenta que el Amigo 2.º habla de una mujer que se fue haciendo cada vez más pequeña. Lo normal es que un organismo crezca; es decir, que se haga cada vez más grande. El Amigo 2.º en realidad está usando una metáfora especial para el tiempo, puesto que es bastante difícil representar su transcurso con sólo un momento para expresarlo. El personaje nos presenta un deseo intemporal. Preferiríamos que el tiempo transcurriera en dirección opuesta a la normal. Está expresando una objeción al determinismo del tiempo.

A él también le gustaría ser como la mujer de la gota de lluvia; es decir, querría no envejecer. Se lo dice al Viejo: «Porque no quiero estar lleno de arrugas y dolores como usted. Porque quiero vivir lo mío y me lo quitan...» (P. 1.074.) En otras palabras, le gustaría resistirse al tiempo y sus estragos. El Amigo 1.º le dice: «Todo eso no es más que miedo a la muerte.» (P. 1.074.) Pero el Amigo 1.º insiste en que no la teme:

> No. Ahora, antes de entrar aquí, vi a un niño que llevaban a enterrar con las primeras gotas de la lluvia. Así quiero que me entierren a mí. En una caja así de pequeña, y ustedes se van a luchar con la borrasca. Pero mi rostro es mío y me lo están robando. (P. 1.075.)

Lo que el Amigo 2.º quiere es no envejecer. Cree que el tiempo le está robando las posibilidades de su vida. Le gusta-

ría decidir el aspecto que tendrá cuando muera. Acepta la finalidad de la muerte. Lo que no puede aceptar es el hecho de
que los procesos del tiempo y de la vida estén también determinados, que funcionen ciertas leyes y que él deba ser un
mero espectador, incapaz de cambiarlas, aunque le afectan.
También aquí se relaciona la muerte del niño con el tema
principal: el tiempo.

El Viejo, que representa otra etapa del tiempo, nos recuerda que «los trajes se rompen, las anclas se oxidan y vamos adelante». (P. 1.075.) En otras palabras, ciertos procesos están
determinados de antemano; el caer en ellos es nuestro sino.
El Amigo 2.° le ruega: «¡Oh, por favor, no hable así!»
(P. 1.075.) Pero el Viejo añade: «Las casas se hunden»
(P. 1.075); luego: «Se apagan los ojos y una hoz muy afilada
siega los juncos de las orillas.» (P. 1.075.) El Amigo 2.° espera que el proceso pueda detenerse y por ello lo ve como algo
futuro, como es su caso: «¡Claro! Todo eso pasa más adelante!» (P. 1.075.) El anciano le recuerda: «Al contrario. Eso
ha pasado ya.» (P. 1.075.) No hay razón para creer que el
proceso ocurrido en el pasado no continúe.

En el acto II se presentan oportunidades para ejercer el
libre albedrío. La novia tiene amores con un jugador de rugby,
a pesar de estar prometida desde hace cinco años. Su padre
insiste en que cumpla con su obligación social; es decir, que
se case con el joven que ha estado esperándola durante esos cinco años [3]: «¡Tienes que cumplir tu compromiso!» (P 1.090.)
Ella responde: «No lo cumplo.» (P. 1.090.) Su padre insiste:
«Es preciso.» (P. 1.090.) Su respuesta sigue siendo: «No.»
(P. 1.090.) Las costumbres de la sociedad podrán estar establecidas para sus miembros; pero en el caso de la novia, ella
considera que tiene el derecho y la facultad de realizar sus deseos, aunque sean contrarios a las normas sociales. Ejerce su
libre albedrío en contra del determinismo social. Al final del
acto II huye con su jugador de rugby. Debemos recordar que
todo eso son pensamientos que pasan por la mente del Joven.
Son manifestaciones de sus temores y de su incapacidad física.

El joven que está prometido con la novia esperó durante

---

[3] María Teresa Babín alude a las largas relaciones como parte de la
tradición española. (Babín, *op. cit.*, p. 157.)

cinco años, resistiendo a las tentaciones, guardando su celibato, sin tratar de conseguir a la mujer que realmente le amaba y por la que él también se sentía atraído, todo porque era su deber social. He aquí cómo expresa su situación a la Mecanógrafa, la mujer que le quiere de verdad: «... Ya sabes que no puedo hacer nada. Te he dicho algunas veces que te esperaras, pero tú...» (P. 1.054.) Añade: «Muy bien. Tampoco tengo yo culpa ninguna. Además, sabes perfectamente que no me pertenezco.» (P. 1.055.) Más tarde, sin embargo, cuando ya nada se interpone entre él y la mecanógrafa, es decir, después que su prometida le ha dejado plantado, va en busca de la mujer que le ama. Le dice al padre de la novia: «Yo también me voy. Yo busco, como ella, la nueva flor de mi sangre.» (P. 1.107.) Así funciona para él el determinismo social. Sólo puede ejercer su iniciativa cuando deja de estar atado por el deber social.

Hemos comentado la medida en que el libre albedrío y el determinismo operan en esta obra. El aspecto de nuestro tema que más importancia tiene en ella es el sino: la ineludibilidad de la muerte y la irreversibilidad del tiempo. El determinismo biológico también actúa en conexión con el destino: las leyes químicas y biológicas de la naturaleza funcionan en relación con el tiempo y conducen a la muerte. Vimos un reto al determinismo social y el ejercicio del libre albedrío. También observamos el efecto entorpecedor del determinismo social sobre el libre albedrío. El Joven era consciente de la actuación del sino, pues llegó incluso a ver su muerte (acto III, cuadro II, p. 1.114). Se vio a sí mismo como un anciano y pudo reflejarse en su juventud. Era también consciente de las tradiciones sociales en cuyo seno creció, de la disciplina que imponen al individuo y de que, a pesar de su poder, hay personas lo suficientemente fuertes para despreciarlas. Esta obra, que tiene lugar en la mente del joven, coloca a García Lorca en la corriente de vanguardia, en el teatro surrealista. Como ya hemos apuntado, creemos que *Yerma* está estrechamente relacionada con ella, en cuanto a la asimilación técnica y al instinto del Lorca maduro. Creemos que *Yerma* es un intento más afortunado que la obra que nos ocupa.

«EL MALEFICIO DE LA MARIPOSA»

El maleficio de la mariposa [4] fue la primera obra de García
Lorca que se representó. Sabemos que no fue popular [5]. Duró
muy poco en cartel. Artísticamente, sin embargo, no fue un
desastre, pues el joven Lorca fue capaz de desarrollar muchos
de los hilos creadores que en esta comedia usó sólo tímidamente. También esta obra, como muchas otras del teatro de
Lorca, plantea ya algunas cuestiones eternas e inquietantes sobre la misma existencia del hombre. Los personajes son insectos,
pero, al igual que los fabulistas del siglo XVIII Iriarte y Sa-
maniego y su inmediato predecesor en Francia, La Fontaine,
y hasta los fabulistas griegos y orientales, los insectos de Lorca
tienen características humanas; manejan problemas que son
especialmente humanos. También aquí el libre albedrío y el
determinismo constituyen una preocupación filosófica importante para Lorca.

La obra empieza con un prólogo en el que se pide indul-
gencia al auditorio y se explica de qué va a tratar la obra. Una
de las primeras cosas que descubrimos sobre este mundo de
insectos es que su vida era tranquila y pacífica, que se amaba
por costumbre y sin preocupaciones. He aquí la descripción
en las palabras del autor:

> ... El amor pasaba de padres a hijos como una joya vieja y exqui-
> sita que recibiera el primer insecto de las manos de Dios. Con la
> misma tranquilidad y la certeza que el polen de las flores se en-
> trega al viento, ellos se gozaban del amor bajo la hierba húmeda.
> (Prólogo, p. 669.)

En este idilio no había tensiones ni cuestiones turbulentas,
puesto que cada insecto vivía según una tradición de amor que
se había mantenido constante y satisfactoria. Pero este estado
de cosas no duró mucho, pues surgió la cuestión del destino y
la individualidad, quizá como resultado de una necesidad hu-

---

[4] García Lorca, *Obras completas,* pp. 669-721.
[5] La palabra «popular» se usa aquí en sentido de «que causa una
impresión favorable en el auditorio». Para un estudio más a fondo ver
Manuel Machado: Guerra, Manuel H., *El teatro de Manuel y Antonio
Machado* (Madrid: Edit. Mediterráneo, 1966), pp. 194-195.

mana de ser igual que Dios. He aquí las palabras del poeta:
«... Pero un día... hubo un insecto que quiso ir más allá del
amor. Se prendó de una visión que estaba muy lejos de su
vida...» (P. 669.) Entonces empezó la lucha entre la idea y
la realidad, entre el mundo tal cual es, con posibilidades limitadas y limitadoras para el individuo, y el mundo que le gustaría crear con su imaginación: un mundo en el que la libertad
para elevarse sea posible y accesible.

¿De dónde sacó el insecto sus grandiosas ideas? Hubo una
interferencia procedente del exterior. Quizá un poeta dejó un
libro abierto abandonado y el insecto lo leyó y cazó la chispa.
Ahora estamos ya claramente dentro del reino de lo humano.
Lorca nos habla de cuán poderosa puede ser una idea. También
nos dice que puede encerrar peligro:

> ... yo suplico a todos que no dejéis nunca libros de versos en las
> praderas, porque podéis causar mucha desolación entre insectos.
> La poesía que pregunta por qué se corren las estrellas es muy da-
> ñina para las almas sin abrir... (Prólogo, pp. 669-670.)

Una vez sembrada una idea fértil, la tierra nunca podrá ser
la misma, lo mismo que este mundo de insectos ya no es lo que
era. Pero la visión tiene su precio; existe un castigo para la
libertad que disfruta el que hace preguntas provocativas y
sin respuesta, especialmente si se trata de cuestiones por largo
tiempo establecidas y fuertemente atrincheradas. Lorca nos dice
cuál fue el castigo para el atrevido insecto: «... Inútil es deciros que el enamorado bichito se murió.» (P. 670.) Conviene
recordar que Adela, en La casa de Bernarda Alba, murió por
atreverse a retar a la tradición; lo mismo le ocurrió a Pepe
Rey en Doña Perfecta, de Galdós. Pero ¿cómo murió este
insecto? Nuevamente el autor nos lo dice:

> ¡Y es que la Muerte se disfraza de Amor! ¡Cuántas veces el
> enorme esqueleto portador de la guadaña, que vemos pintado en
> los devocionarios, toma la forma de una mujer para engañarnos y
> abrirnos las puertas de su sombra! (P. 670.)

El insecto murió porque fue engañado. La Muerte se dis-
frazó de Amor, y el insecto, cuya percepción era imperfecta,
no pudo darse cuenta. Lorca nos describe aquí la condición

humana: la muerte está al acecho por todas partes y a veces al hombre, que va en busca de amor, le pasa inadvertida. La situación del hombre es aún más peligrosa, porque sus posibilidades de conocimiento tienen un límite. Pero el hombre, como el insecto, debe afirmarse, debe ansiar las estrellas, a pesar de los riesgos. A nivel artístico, encontramos la fusión de las figuras del amor y la muerte en una mujer. En *Bodas de sangre,* la Muerte, una vieja decrépita, sació su apetito seduciendo a dos hombres jóvenes. La Muerte y el Amor también estaban al acecho en el mismo lugar en que Adela, en *La casa de Bernarda Alba,* sólo buscaba amor. Encontró ambas cosas. No podemos evitar el recordar aquí el papel de Peregrina en *La dama del alba*[6], de Alejandro Casona.

Pero el autor añade en su prólogo que el hombre no debe enorgullecerse demasiado, que debe ser humilde y reconocer que también él es sólo una pequeña parte del reino animal: « 'todo es igual en la Naturaleza'. » (P. 670.) Lorca, en el prólogo, presenta al hombre dentro de la Naturaleza y sujeto a sus leyes. Todas las cosas —dice—, las plantas, el viento, las fuentes, hablan el lenguaje de Dios. Aunque Lorca pone estas palabras en boca de un silfo de Shakespeare, podemos observar aquí un nexo entre Lorca y los románticos. Estas ideas pueden encontrarse en *La nueva Eloísa* y *Las confesiones,* de Juan Jacobo Rousseau.

Ya dentro de la obra, en el acto I, escena I, Curiana Nigromántica sueña que ha tomado otra forma. Sabemos que los sueños son una realización de deseos. Así es como se lo explica a su vecina: «Vengo de soñar que yo era una flor / hundida en la hierba.» (P. 671.) Luego entra en más detalles:

> Sueño que las dulces gotas de rocío
> son labios de amores que me dejan besos
> y llenan de estrellas mi traje sombrío. (P. 672.)

Ella tiene sueños de grandeza.
Curiana Nigromántica también está preocupada por lo que

---

[6] Peregrina, la personificación de la muerte, siempre está cerca del amor. Ha seducido a muchos jóvenes que la confundieron con el amor. Estaba esperando para escoltar a Angélica, que volvía a casa llena de esperanzas de amor reavivado. (Alejandro Casona, *Obras completas,* Madrid: Aguilar, 1961, tomo I, pp. 357-432.)

le dijo una golondrina. Le contó que todas las estrellas perderían su luz. También tiene miedo porque Dios está dormido y ella vio caer una estrella. Todo ello significa que se va a morir una estrella. (P. 672.) Ella y las cigarras están tristes porque tales cosas van a ocurrir. Tienen que vivir resignadas a los designios de las estrellas. Doña Curiana pregunta quién mató al hada, y Curiana Nigromántica responde: «La mató el amor.» (P. 673.)

Los dos insectos continúan su conversación. Curiana Nigromántica pregunta a Doña Curiana por su hijo. Esta última dice: «Lo noté también; anda enamorado.» (P. 673.) Sin embargo, no ama a un insecto hembra de su clase, a una cucaracha. Doña Curiana le dice a su vecina: «Según él, es de algo que nunca tendrá.» (P. 673.) Vemos ya que su amor ha volado hacia lo ideal [7]. Ya ha empezado a amargarle la vida. Un insecto tan joven, le dice Curiana Nigromántica a su vecina: «Va a ser un poeta y no es nada extraño, / su padre lo fue.» (P. 673.) El poeta no es sólo un hombre de visión: encuentra su medio hostil. También sabemos cómo está estratificada esta comunidad de insectos. El hijo de un poeta debe ser poeta. Es un sistema de castas que no permite distinciones individuales ni movilidad social. En cierto sentido, es un sistema estrechamente controlado.

Doña Curiana tiene un sentido trágico de la vida, aunque dentro de él hay algo de optimismo. Le dice a Curiana Nigromántica que deseche las tristezas y melancolías, que la vida es corta y debe disfrutarse:

> Desechad tristeza y melancolías;
> la vida es amable, tiene pocos días
> y tan sólo ahora la hemos de gozar. (P. 674.)

Lo que entristece a Curiana Nigromántica es que «Todas las estrellas se van a apagar». (P. 675.) El Día del Juicio llegará sin duda y no puede hacer nada para evitarlo.

Alguien más está triste: Curianita Silvia. Su tristeza se debe al amor. Dice que nadie la quiere. Si pudiera hacer algo...:

---

[7] El tono visionario de esta obra recuerda uno de los aspectos de inquisición de *El pájaro azul*. Ver Maurice Maeterlink, *The Blue Bird*, traducido por A. Teixera de Mattos (Nueva York: Dodd, Mead, 1911).

> ¿Por qué sendero
> de la pradera
> me iré a otro mundo
> donde me quieran? (P. 679.)

Por tanto, el mundo de sus necesidades no coincide con lo que le resulta posible. El resultado es la tristeza. Pero no puede cambiar su situación. Como el hombre, ella también está limitada a su medio ambiente. Doña Curiana se lo dice: «Eso es imposible, Silvia. / Os volvéis loca.» (P. 679.) Curianita Silvia no va a aceptar su situación. Dice:

> Yo me enterraré en la arena
> a ver si un amante bueno
> con su amor me desentierra. (P. 679.)

Doña Curiana, con su concepción trágica de la vida, le dice a la joven cucaracha que las cosas son distintas de como una se las imagina: las jóvenes buscan el amor, y éste trae la muerte. Doña Curiana le dice a Curianita Silvia:

> ....
> se cuenta
> que permaneció soltera
> y vivió seis años. Yo
> dos meses tengo y soy vieja.
> ¡Todo por casarme! ¡Ay! (P. 680.)

Doña Curiana puede usar su influencia para ayudar a Curianita Silvia, puesto que la joven cucaracha está enamorada del hijo de ésta. Lo que ocurre es que el hijo de Doña Curiana no ama a Curianita Silvia. Debemos recordar que es el soñador. Curianita Silvia lo apoya diciendo que «la princesa / que él aguarda no vendrá». (P. 682.) El resultado del amor no correspondido es la melancolía, como en el caso de Jacques en *As You Like it,* de Shakespeare, de las novelas góticas y de los románticos. Puesto que viven en una sociedad en que las influencias de los padres es grande, Doña Curiana obligará a su hijo a casarse con Curianita Silvia. Dice: «¡Yo haré que la ame por fuerza!» (P. 683.), y nuevamente: «... te casaré con mi hijo.» (P. 683.) La postura de Doña Curiana se debe a la riqueza de Curianita Silvia.

A Doña Curiana no le resulta muy fácil influir sobre su hijo en cuestiones de amor. Tiene un espíritu libre: ya ha puesto sus ojos en lo inalcanzable y no bajará sus aspiraciones. Además, no se casará con Curianita Silvia porque no la ama. Se lo dice a su madre: «Yo no la quiero, madre» (P. 684.), y más tarde: «Sin amor no me caso.» (P. 684.) Pero su madre quiere que corteje a Curianita Silvia de todos modos. Su madre quiere que se traicione a sí mismo y que use artificios y engaños para galantear a Curianita Silvia. Él se niega.

Curianito y Curianita Silvia se encuentran. Hablan del amor. Ella le dice que quiere amor con besos. Curianito, que no la ama, le dice que encontrará muchos besos, pero que el amor es muy difícil de encontrar. Él dice que ha puesto su corazón en una estrella. ¿Y dónde está? Curianita lo quiere saber. Él responde: «En mi imaginación.» (P. 687.) Su amor, como él mismo admite, es un amor ideal. Ella le recuerda que una vez le dijo que la amaba. Él responde que ha cambiado y que ya no la quiere. Ella llora, y él trata de consolarla. (Acto I, escena IV.) No puede conseguir que él la quiera. Por tanto, su deseo no podrá satisfacerse.

Curianito y Curianita Silvia están aún en la pradera. Otras cucarachas pasan y los ven juntos. Las curianitas comentan que deben ser novios. Lorca está aquí manejando el tema típico del Siglo de Oro de la realidad y la ilusión. Curianito y Curianita Silvia insultan a Alacranito, que amenaza con comérselos a los dos: «Tened las lenguas quietas / que estáis muy comestibles ambos a dos.» (P. 693.) Es un poco matón. Acaba de comerse un gusano. Huyen asustados. Doña Curiana viene en su ayuda. Curianita Silvia todavía se queja de que Curianito no la quiere. Doña Curiana insiste en que le obligará: « ¡El idiota!... / Mas yo haré que te quiera.» (P. 695.) Ella representa los valores tradicionales, pero en este caso no son lo bastante fuertes como para que el moderno Curianito se sienta ligado a ellos. Elegirá lo que prefiera, basándose en sus ideales.

Al final del acto I, escena V, cae una mariposa. Tiene rota una de sus alas. En realidad es la manifestación del amor de Curianito. Él quería ser ligero y libre como una mariposa, para ver y disfrutar las bellezas de toda la pradera. En la escena VI del mismo acto, Curiana Nigromántica le dice que morirá si se enamora de la mariposa caída. Él se dirige a la mariposa:

> ¡Oh amapola roja que ves todo el prado!
> Como tú de linda yo quisiera ser.
> Calma las tristezas de este enamorado,
> llorando el rocío del amanecer. (P. 701.)

Su deseo de volar excede a sus aptitudes. Debe apelar a algo ajeno a sí mismo. La ironía de su situación estriba en que está apelando a una deidad caída. No se enamora de la mariposa. Dice: «Porque soy la muerte / y la belleza.» (P. 709.) Ella no responde a su amor. Él la tiene en sus brazos, pero ella permanece fría. Le dice: «Tienes el cuerpo frío.» (P. 720.) Poco después se desprende de él y empieza a danzar. Él le ruega: «Entonces, ¿a quién cuento mis pesares? / ¡Oh Amapola encantada!» (P. 720.) Él llora hasta rompérsele el corazón por un amor que no puede satisfacer, un amor que se atrevió a concebir a un nivel más alto que el de su mundo terrenal y de cucaracha:

> ¿Quién me puso estos ojos que no quiero
> y estas manos que tratan
> de prender un amor que no comprendo?
> ¡Y con mi vida acaba! (P. 721.)

¿Por qué se le hizo distinto, para que no pudiera amar a una simple cucaracha como él? Los poderes que lo formaron, sellaron también su sino. ¿Por qué tiene que suspirar por un amor que ni siquiera comprende? Este amor también es la muerte. Él quiere saber: «¿Quién me manda sufrir sin tener alas?» (P. 721.) Se siente agitado por su dilema, pero su situación es insoluble. Su única salida es el suicidio, pues debe vivir con amor. Anteriormente había dicho: «¿Me arrojaré a las aguas?» (P. 718.) Quizá lo hizo finalmente. En realidad no lo sabemos. Podemos suponer que es así, pues el autor nos dijo en el prólogo que moriría. Hay una nota del editor al final de la obra en la que se nos dice que los dos últimos versos están truncados en el original. Sin embargo, el último personaje que habla es la Curiana Nigromántica, la que anteriormente anunció que se moriría si se enamoraba de la mariposa. Se enamoró de hecho de la imagen fundida del amor y la muerte. Quizá él es el hada que tenía que morir. La analogía entre el poeta y el hada es especialmente exacta, pues él, como ella, se permite volar libremente por el reino de su imaginación. Sin embargo, él es mortal y, como todos los hombres, debe morir sin lograr totalmente el mundo de sus sueños: el espíritu se vuelve materia.

Aunque es una obra poética, lírica, de tipo ligero (Lorca la llama comedia), el autor ha tocado cuestiones de importancia primordial para la condición humana: ¿en qué medida es posible vivir más allá del nivel y las formas establecidas para los seres humanos? ¿Hasta qué punto podemos forjar libremente nuestro propio mundo con la imaginación? ¿Qué es lo que nos espera al final del camino, logremos o no nuestros ideales? ¿Hasta dónde debemos permanecer ligados a las tradiciones y cuál es el castigo para el que salta por encima de ellas? Tales preguntas rozan el núcleo del libre albedrío y el determinismo. En esta obra vimos un mundo apegado a sus tradiciones en el que el destino aguardaba al final de la senda, pese a los esfuerzos de un individuo por vivir fuera de las fronteras establecidas para él. Lorca, en su obra posterior y madura, elabora e intensifica estas cuestiones y sus ideas llenas de fantasía encuentran expresión en algunos toques surrealistas y en *Así que pasen cinco años*.

«RETABLILLO DE DON CRISTÓBAL»

En el *Retablillo de don Cristóbal* [8] hay algunos elementos de libre albedrío y determinismo. Debemos tener en cuenta que es una farsa para guiñol y, por tanto, las preocupaciones filosóficas deben tener un papel secundario.

Al final del prólogo el director le dice al poeta: «Haga usted el favor de callarse. El prólogo termina donde se dice: 'Voy a planchar los trajes de la compañía.' » (P. 1.020.) El director no quiere que se salga del guión. En otras palabras, el poeta, con el texto en la mano, como lo ve el director, no tiene libertad para improvisar, una vez que ha encomendado

[8] García Lorca, *Obras completas,* pp. 1.019-1.043.

la adaptación de la obra al director. El poeta hace un nuevo
intento de expresar lo que tenía en su mente cuando escribió
el guión: «... pero es que don Cristóbal yo sé que en el fondo
es bueno y que quizá podría serlo.» (P. 1.020.) Está diciendo,
mientras él mismo trata de ejercer su libre albedrío, que si se
le da una oportunidad, don Cristóbal puede ser bueno. De ello
se deduce que, si el director le dejara, don Cristóbal sería bueno. El director insiste en que el poeta diga lo que tiene que
decir. Su parte está determinada y no debe apartarse de ella.
Entonces dice: «Respetable público: Como poeta, tengo que
deciros que don Cristóbal es malo.» (P. 1.021.) El director
le recuerda cómo debe terminar su discurso: «Y no puede ser
bueno.» (P. 1.021.) El poeta lo repite: «Y no puede ser bueno» (P. 1.021.), y termina diciendo: «... Y nunca podrá ser
bueno.» (P. 1.021.) El director está satisfecho. Él concibe a
don Cristóbal con una naturaleza fija para la vida. Es una visión de la vida totalmente determinista o basada en el sino.
Quizá Lorca está también señalando cómo el poeta, el intelectual, vende su integridad personal, su libertad, a un déspota.
O quizá cómo el poeta, si se le diera un reino libre, tendería
a dar una expresión lírica a sus personajes en su busca de
valores más altos.

Más tarde, Cristóbal hace una demostración de las malda-
des que se le han asignado. Quiere dominar a Rosita y a su
madre, por la fuerza si es necesario. Le pregunta a la madre
de Rosita si está de acuerdo con los términos del contrato
matrimonial. Le dice: «Porque si no estamos, yo tengo la
cachiporra y ya sabes lo que pasa.» (P. 1.033.) Trata de inti-
midarla. Le hace decir que tiene miedo; luego la obliga a repetir: «Ya me ha domado don Cristóbal.» (P. 1.033.) Añade:
«Como domaré a tu hija.» (P. 1.033.) Cristóbal, como instrumento del director, está concebido como el enemigo de la libertad y el libre albedrío.

El poeta nos dice que los actores son instrumentos del director:

> ... Pero ni don Cristóbal ni doña Rosita ven la luna. Si el director
> de escena quisiera, don Cristóbal vería las ninfas del agua y doña
> Rosita podría llenar de escarcha sus cabellos en el acto III, donde
> cae la nieve sobre los inocentes. (P. 1.036.)

Esta visión de los actores, cuando se generaliza para la condición humana, tiene reminiscencias de la idea de Shakespeare, según la cual toda la vida es un escenario y los hombres son sólo sus actores [9]. En otras palabras, la naturaleza del hombre y sus posibilidades están fijadas y determinadas de antemano. Ése es su sino.

Al final de la obra, Cristóbal mata a Rosita, demostrando completamente su malvada naturaleza, que el poeta, cumpliendo órdenes del director, dijo que estaba fijada para siempre.

Hemos comentado la medida en que el autor se ocupó del albedrío y el determinismo en esta farsa. Vimos que el papel del hombre y su naturaleza estaban fijados por alguna fuerza sobrehumana: quizá las leyes universales, quizá algún super-ser.

«LOS TÍTERES DE CACHIPORRA»

La función del libre albedrío y el determinismo en *Los títeres de cachiporra* [10] es importante. Encontramos abundantes muestras de predestinación, principalmente a través del determinismo social, y del destino.

En la primera escena, el padre de Rosita resume la situación de su familia: «¡Ay Rosita, qué entrampados estamos! ¡Qué va a ser de nosotros!» (P. 726.) Se encuentra atrapado, engañado por la vida. Se deduce que él no quería que las cosas le fueran así y que no puede hacer nada por evitarlo. A fin de salvarse de la ruina completa, quiere que su hija, Rosita, le obedezca en todo. Por ello no toma en consideración sus propios deseos. No le atribuye capacidad para tomar decisiones ni para realizar sus deseos. Él, como padre, decidirá por ella. Podemos considerar esto como una tímida afirmación del determinismo social. Cuando ella dice que le obedecerá en todo, él responde: «Pues esto era lo que yo quería saber... Me he salvado de la ruina. ¡Me he salvado!» (P. 727.) Vemos que hay una amenaza que se cierne sobre él. Cree que podrá escapar a ella.

---

[9] William Shakespeare, *As You Like It,* revisado por William J. Rolfe (Nueva York: Harper and Brothers, 1896), acto II, escena VII, p. 64.

[10] García Lorca, *Obras completas,* pp. 723-780.

Para salvarse de la ruina, el padre de Rosita la compromete
para casarse con Cristobita. En pago, éste le entrega dinero.
Él espera que Rosita le obedezca, como había prometido. Cuando ella protesta basándose en que está enamorada de Cocoliche, su padre le dice: «Aquí mando yo, que soy el padre. Lo
dicho, dicho, cartuchera en el cañón. No hay más que hablar.»
(P. 732.) Apela a su autoridad sobre ella basándose en la tradición: él es su padre y tiene derecho a decidir por ella. Hace
un leve intento de afirmar su voluntad, pero no es lo bastante
fuerte. En realidad no se considera libre de realizar sus deseos.
Su padre añade a su afirmación del determinismo social: «... Tú
harás de todo, como hice yo caso de mi papá cuando me casó
con tu mamá, que, dicho sea entre paréntesis, tenía una cara
de luna que ya, ya...» (P. 733.)

Pronto se oye la voz del destino: la Hora le dice a Rosita que lleve su carga, que las cosas deben seguir su curso y
que podrían cambiar. La Hora suena y dice:

> ¡Tan! Rosita, ten paciencia, ¿qué vas a hacer? ¿Qué sabes tú
> el giro que van a tomar las cosas? Mientras que aquí hace sol,
> en otras partes llueve. ¿Qué sabes tú los vientos que van a venir
> mañana para hacer bailar la veleta de tu tejadillo? Yo, como vengo
> todos los días, te recordaré esto cuando seas vieja y hayas olvi-
> dado este momento. Deja que el agua corra y la estrella salga.
> Rosita, ¡ten paciencia! ¡Tan! La una. (P. 734.)

Rosita no tiene nada que hacer respecto a su situación. El
tiempo quizá pueda ayudarla. Sin embargo, tiene que esperar.
Observamos nuevamente el interés de Lorca por el tema del
tiempo.

Cuando Cocoliche le pregunta a Rosita por qué no ha dejado a su padre, ella le responde que era imposible. Así es como
lo expresa: «... El viento morisco hace girar ahora todas las
veletas de Andalucía. Dentro de cien años girarán lo mismo.»
(P. 736.) Tal como concibe la vida, las cosas siempre se repiten:
nunca son como uno quiere que sean. Considera su situación
como algo cerrado, determinado, como el soplo del viento.

Al final del cuadro II el padre de Rosita acepta el dinero
de don Cristobita a cambio de la mano de su hija. Cristobita
insistió en que la boda fuera al día siguiente. Cuando le parece

que el padre de Rosita va a poner objeciones a su prisa por casarse, ayuda a cerrar el trato por medio de una amenaza: «... Esta porra que ve aquí ha matado muchos hombres franceses, italianos, húngaros...» (P. 739.) El padre de Rosita se da cuenta de que ha cometido un error al imponer su voluntad a su hija.

En el cuadro II Rosita está cantando:

> Con el vito, vito, vito,
> con el vito, que me muero...
> Cada hora, niño mío,
> estoy más metida en fuego. (P. 755.)

Ve que su destino se cierra en torno suyo; un matrimonio infeliz y sin amor con Cristobita. Cocoliche refuerza su sensación de condena. Dice: «¡Ésta es la primera vez que lloro de verdad! Lo aseguro. ¡La primera vez!» (P. 755.) Más tarde, en el cuadro VI, ella se ve sentenciada, como Mariana Pineda. Dice: «¡Todo se ha perdido! ¡Todo! Voy al suplicio como fue Mariana Pineda. Ella tuvo una gargantilla de hierro en sus bodas de muerte, y yo tendré un collar..., un collar de don Cristobita.» (P. 762.) Las últimas palabras las dice llorando.

Al final de la obra, Currito apuñala y mata a Cristobita, y Rosita y Cocoliche quedan libres para conseguir su amor. De este modo Rosita encuentra una solución para su problema cuando menos se lo esperaba. Su sino no era el que ella creía, pero fue el destino el que tuvo que seguir su curso para traerle la felicidad que deseaba. No se produjo como resultado de algo que ella hizo. No la consiguió como resultado del libre albedrío.

En esta obra el destino actúa como solución de la acción principal. Al principio de la obra ya se señalaba como probable desenlace. El determinismo social frustró la voluntad de Rosita de realizar sus deseos, y ella se vio a sí misma como víctima del destino, de un inevitable matrimonio con Cristobita. El tirano Cristobita, enemigo del libre albedrío, fue muerto, y Rosita y Cocoliche pudieron realizar sus deseos.

El *Teatro breve*[11] de Lorca comprende tres piezas: «El paseo de Buster Keaton», «La doncella, el marinero y el estudiante» y «Quimera». Esta última no tiene importancia para nosotros desde el punto de vista del libre albedrío y el determinismo. En las otras dos sólo hay algunas pinceladas. Procedamos a comentarlas.

En «El paseo de Buster Keaton», éste mata a cuatro niños y se va a dar un paseo en bicicleta. Al matarlos dice: «Pobres hijitos míos.» (P. 893.) Luego: «¡Qué hermosa tarde!» (P. 893.) Más tarde, ya montado, observa: «Da gusto pasearse en bicicleta.» (P. 893.) Luego dice: «Quisiera ser cisne. Pero no puedo, aunque quisiera.» (P. 895.) Su última afirmación denota consciencia de su condición y sus limitaciones. No puede ser un cisne, aunque lo desee. Lo que puede ser está decidido de antemano. Ése es su sino. A la luz de su deseo de ser algo distinto de lo que es, en el sentido de ser libre, podemos encontrar alguna motivación para la matanza de los niños[12]. No expresó ningún odio hacia ellos. Por el contrario, hasta parecía sentir tener que matarlos, pero quería ser libre para ir y venir, para montar en su bicicleta, y ellos coartaban su libertad.

Por tanto, lo que aquí se expresa es un deseo de libertad, un deseo de ejercer el libre albedrío y un reconocimiento de los cerrados sistemas concebidos para cada criatura: determinismo natural.

En «La doncella, el marinero y el estudiante», este último quiere escapar del tiempo. Dice que el siglo va demasiado aprisa y: «Es que huyo.» (P. 901.) La doncella le pregunta: «¿De quién?» (P. 901.) Él responde: «Del año que viene.» (P. 901.) Protesta simplemente por el transcurso del tiempo,

---

[11] García Lorca, *Obras completas,* pp. 893-910.

[12] Virginia Higginbotham explica el asesinato de los hijos de Buster Keaton por éste mismo como un hecho inocente. Dice que hay una semejanza entre este asesinato y el del paciente de don Cristóbal por éste en el *Retablillo,* y que ambos hechos se consideran desde el punto de vista de las leyes crueles de la naturaleza humana. (Higginbotham, *op. cit.,* p. 65.)

a pesar de sus deseos; por la naturaleza fija y determinada de las cosas. Podemos observar aquí la preocupación por la irreversibilidad del tiempo y su indiferencia a los deseos del hombre. Lorca estaba muy preocupado por este dilema humano. Lo recoge nuevamente en forma surrealista en *Así que pasen cinco años.*

CAPÍTULO VI

CONCLUSIONES

En los capítulos anteriores vimos que Federico García Lorca pertenece a la rica tradición dramática española, que compaginó el drama rural con el eterno tema del honor, conservando en diversos grados las posibilidades dramáticas del triángulo clásico. Estudiando su teatro completo desde el punto de vista del libre albedrío y el determinismo, observamos también su asimilación de las corrientes modernas en la fuerza de las pasiones que retrata, una fuerza que extrae la máxima tensión de los personajes, dándoles una dimensión trágica. Apuntamos que la tensión, que era el centro de la situación trágica, se desarrolla a partir del conflicto entre lo ideal y lo real, lo deseado y lo posible, las exigencias de la naturaleza y de la sociedad, y que los temas del sexo, el tiempo y la muerte están siempre presentes en su obra. Vimos también su preocupación por las modernas corrientes dramáticas europeas, dentro de un medio social totalmente español.

En *Bodas de sangre,* un drama dedicado a los temas del amor frustrado, un código social restrictivo, el miedo a la muerte, el honor, la sangre y la insuficiencia sexual en el varón, encontramos la actuación del destino desde los primeros momentos de la obra. El sino se cierne a lo largo de la misma y alcanza sus designios a través de un mecanismo de determinismo biológico y social. También los personajes son conscientes de que ellos mismos, su biología y sus valores, son instrumentos del destino. Las oportunidades para ejercer el libre albedrío son escasas o nulas. Las imágenes contribuyen a la trama total de la obra, elevando la incertidumbre, intensificando el tema y actuando técnicamente como anticipación de los resultados importantes y resumen de la acción que tienen lugar fuera de la escena.

Yerma desarrolla los temas de los instintos maternales frustrados y la pareja sexual masculina inadecuada. También aquí se siente la presencia del destino desde el principio, y la protagonista, a lo largo de todo el drama, trata de que su sino no se cumpla y su vida quede colmada. El destino triunfa, sin embargo, en forma de determinismo natural, concebido a través del papel de la heroína en el eterno ciclo vital y su frustración producida por la herencia, que funciona al servicio del sino. El determinismo social, principalmente a través de la imagen de la mujer establecida por la sociedad y del respeto al código del honor, también ayuda a cristalizar la tensión que se desarrolla dentro de la protagonista, al tratar de escapar a lo que veía que era su sino. También el determinismo social ayuda al destino a completar su ciclo. Las imágenes cargan la atmósfera con partículas de la obsesión de la heroína, al dramatizar, objetivar y exteriorizar para nosotros los aspectos sensuales de esa obsesión.

En *La casa de Bernarda Alba,* que se ocupa principalmente de la dominación tiránica de una madre sobre sus hijas, dentro de un sistema social totalmente represivo, y los resultados de tal opresión, es una obra en que la fuerza fundamental y más poderosa es el destino. Nuevamente el determinismo natural, principalmente a través del impulso sexual (frustrado o expresado), y el determinismo natural (por medio de la tiranía del orden social personificado en la madre) funcionan como los instrumentos a través de los cuales el sino triunfa. Los personajes realizan intentos tímidos e ineficaces de autoexpresión. Sólo uno es capaz de enfrentarse al orden social con éxito temporal, pero que produce grandes efectos. Pagó con la más alta pena: la muerte. Las imágenes sirven para dar intensidad poética al tema y para resumir la preocupación filosófica fundamental de la obra.

Mariana Pineda está basada en un personaje histórico. Desarrolla los temas del amor, el honor y la libertad. También aquí se nos presenta la condición humana dentro de un sistema cerrado del que el hombre no puede escapar. Sin embargo, la libertad para actuar es posible dentro de los límites prescritos de antemano para el hombre. Como en otras obras, el destino se asoma desde el principio, va ganando fuerza y finalmente triunfa. El determinismo natural y social aseguran este triunfo. Las imágenes funcionan principalmente como anticipación de la acción, y al final de la obra poetizan la muerte elevándola a un nivel trascendente.

En *Doña Rosita la soltera,* Lorca trata el tema del amor idealista frustrado en una presentación «poemática». El destino es importante desde el principio. Triunfa a través del mecanismo del determinismo natural y social. Los personajes reconocen el poder del sino, aunque ven la posibilidad de libertad de elección y acción dentro de zonas limitadas de su esfuerzo. Las imágenes, que funcionan a nivel simbólico, anticipan y resumen las acciones importantes.

En *El amor de don Perlimplín,* Lorca trata de un modo erótico la relación sexual entre la vejez y la juventud, moviéndose en las fronteras del teatro surrealista. En esta obra, el destino es la fuerza suprema. El determinismo natural, es decir, la sexualidad de Belisa y la incapacidad de Perlimplín, trabaja para sellar el sino de ambos. Los protagonistas se consideran como víctimas del determinismo y el destino. No se preocupan por el orden social. No tienen oportunidad de ejercer el libre albedrío. Las imágenes funcionan como anticipación de la acción e intensificación del tema y el carácter.

La zapatera prodigiosa trata del tema de la insatisfacción en el matrimonio entre un viejo y una joven exuberante. Aquí el sino tiene escasa importancia. El determinismo social es una fuerza poderosa que milita contra la felicidad de los dos protagonistas. Aunque sienten su efecto, ambos actúan, cada uno a su modo, con un mínimo de libre albedrío, para mejorar sus condiciones. Las imágenes actúan como anticipación y resumen de la acción.

Así que pasen cinco años [1] es el intento completo de Lorca de trabajar en el medio surrealista. Se preocupa principalmente

---

[1] El fragmento «El público», publicado junto con *Así que pasen cinco años* por Losada, en Buenos Aires, no proporciona ninguna oportunidad para el estudio del libre albedrío y el determinismo. También se incluye en las *Obras completas* de García Lorca, pp. 1.145-1.169.

del tema del tiempo. El sino está presente, y el personaje, a través de sus múltiples manifestaciones, lo considera como la inevitabilidad de la muerte y la irreversibilidad del tiempo. El determinismo aparece en forma de las leyes biológicas y químicas de la Naturaleza y su interacción dentro del hombre, provocando su muerte. El orden social es burlado sin consecuencias amargas y, en otro caso, se considera que tiene un efecto limitador en el individuo. La libertad de acción es posible dentro de límites definidos.

El maleficio de la mariposa es la primera obra de Lorca que se representó en público. Aquí el joven autor se limitó a presentar una serie de cuestiones que más tarde elaboró en el curso de su carrera de dramaturgo. Ya muestra un gran interés y perspicacia en los efectos que la tradición produce en la necesidad personal de libertad y ya es consciente de la naturaleza trágica de la existencia del hombre. Sus insectos deben inclinarse ante la tradición y quedarse presa de pánico ante el poder del destino.

Incluso en las farsas para guiñol de Lorca, *El retablillo de don Cristóbal* y *Títeres de cachiporra,* se tratan, aunque muy ligeramente, las cuestiones fundamentales de la existencia humana. En *El retablillo,* el sino del hombre está fijado y no puede escapar a él. En los *Títeres,* el destino actúa como solución de la acción principal. Estaba ya presente desde el principio. El poder del determinismo social es el que frustra la voluntad de Rosita. Es el matón el que trata de imponer su voluntad sobre los demás. En esta obra la protagonista encuentra la felicidad.

El *Teatro breve* de Lorca comprende tres piezas: «El paseo de Buster Keaton», «La doncella, el marinero y el estudiante» y «Quimera». Esta última no se ocupa del libre albedrío y el determinismo. En la primera de ellas, sólo observamos el deseo de libertad y libre albedrío por parte de Buster Keaton y su reconocimiento de que vive dentro de un sistema cerrado. En «la doncella» se concibe el destino del hombre como la irreversibilidad del tiempo.

En el teatro de Lorca, por tanto, el libre albedrío y la libertad de acción aparecen en raras ocasiones. En los casos en que es posible, sus efectos en cuanto a la modificación del carácter y el tono de la existencia del hombre son minúsculos. Tampoco la felicidad es casi nunca realizable. Lorca presenta una visión trágica del hombre. El destino está constantemente militando contra su felicidad, hasta que triunfa a través de fuerzas que operan dentro del hombre, a las que su misma esencia está sujeta. También el orden social funciona limitando aún más cualquier intento del hombre de definirse como un ser verdaderamente libre. También le impone un sistema de valores que condiciona su timidez para afirmar la voz de su interior, que clama por libertad.

Al estudiar el teatro de Federico García Lorca desde el punto de vista de la naturaleza y función del libre albedrío y el determinismo, no pretendemos afirmar que Lorca, como artista, se propusiera deliberadamente dramatizar estas consideraciones filosóficas. Sin embargo, no es arriesgado suponer que el propio Lorca se preocupaba por la plenitud y riqueza de la vida humana y, consecuentemente, por la falta de realización y la frustración. Al elaborar las condiciones de vida en que las criaturas de su imaginación se moverían en escena, intuitivamente estaba reflejando importantes aspectos de la cultura española a un nivel psíquico y celular y, al mismo tiempo, recogía inconscientemente su propia biografía espiritual. Al proyectar la visión dualista y algunas veces fusionada de la existencia humana sobre las criaturas de Lorca, esperamos proporcionar un cuadro de referencia dentro del cual pueda comprenderse y apreciarse mejor la intensidad y complejidad de su arte dramático.

UN VIAJE A LA LUNA

GUIÓN CINEMATOGRÁFICO DE
FEDERICO GARCÍA LORCA

Durante su estancia en Nueva York en 1929-30 Federico García Lorca escribió este guión por sugerencia de Emilio Amero, el artista gráfico mejicano. Es una inspiración totalmente surrealista de escenas de la vida de Nueva York, tal como Lorca la veía. Aunque puede no considerarse teatro en el sentido normal de la palabra, creímos conveniente no pasar por alto esta obra, pues se basa totalmente en la acción con el máximo de plasticidad. En ella los personajes aparecen y desaparecen. Describe emociones fuertes en forma vívida y violenta.

Comprende setenta y ocho tomas y, como el resto de la obra de Lorca, está concebida en forma trágica. En cuanto al tema de nuestro estudio, el libre albedrío y el determinismo, no podríamos incluirla en el cuerpo principal de nuestro trabajo, debido a su naturaleza esporádica y truncada. Sin embargo, debemos señalar que contiene en gran profusión todos los ingredientes necesarios para desarrollar una situación trágica y los elementos esenciales para trazar el esquema del sino y el determinismo.

Hay imágenes de ciega oportunidad que fluctúan y se alternan, el miedo y la angustia, lo fantástico, la sexualidad violenta y sensual, la muerte y el luto, la frustración, la tiranía, la violencia y el vómito. Se sugiere y representa la presencia de la luna, y el tiempo se pone a las órdenes del artista. Él lo paraliza, acelera su marcha hacia adelante, lo hace ir hacia atrás, y hace que las cosas se vuelvan pequeñas o megascópicas. Moldea cualquier material según la forma y clase de vida que desea.

Además de las imágenes que Lorca incluye en su guión, su manejo del tiempo, con su espectro de posibilidades, es una buena pista en cuanto a la preocupación del poeta por la miríada de limitaciones que condicionan la capacidad del hombre para proyectar su naturaleza a imagen y semejanza de Dios.

BIBLIOGRAFÍA

I. FUENTES PRIMARIAS

A. TEATRO

Amor de don Perlimplín con Belisa en su jardín. «Obras completas».
1) Buenos Aires: Losada, 1938. Vol. I; 2) Buenos Aires: Losada,
1940 (con *Bodas de sangre* y *Retablillo de don Cristóbal*).

Así que pasen cinco años (escena no publicada anteriormente: «Romance
del maniquí»). «Hora de España», 11 (Valencia, 1937); «Repertorio
Americano» (San José, Costa Rica: 18 de diciembre, 1937); «Obras
completas» (Buenos Aires: Losada, 1938. Vol. VI).

Bodas de sangre. 1) Madrid: Cruz y Raya, 1935. 2) Buenos Aires: Teatro del Pueblo (Colección Argentores), 1936. 3) Madrid: Cruz y
Raya, 1963. 4) Santiago de Chile: Editorial Moderna, 1937. 5) «Obras
completas». Buenos Aires: Losada, 1938. Vol. I. 6) «Grafos», La
Habana: VIII, 86, 1940. 7) Buenos Aires: Losada, 1944 (con *Amor
de don Perlimplín con Belisa en su jardín* y *Retablillo de don Cristóbal*). 8) «Revista de las Indias», Bogotá: 3, 1936, 69-70 (acto III
solamente).

La casa de Bernarda Alba (anteriormente no publicada). 1) «El Universal», Caracas: septiembre 1938. 2) Buenos Aires: Losada, 1945.
3) Buenos Aires: Losada, 1946 (en «Obras completas», selección
Guillermo de Torre, VII) (con *Prosas póstumas*), 2.ª edición, Buenos
Aires: Losada, 1949.

La destrucción de Sodoma (no publicada, quizá perdida).

«Diez versos de una comedia» (con Ostos Gabella cuando eran niños),
Malvarrosa, 5-6 (mecanografiada).

Doña Rosita la soltera o El lenguaje de las flores. 1) «Obras completas»,
Buenos Aires: Losada, 1938. Vol. V, pp. 9-129. 2) Buenos Aires:
Losada, 1944 (con *Mariana Pineda*).

El maleficio de la mariposa (no publicada hasta la aparición de «Obras
completas»), selección y notas de Arturo del Hoyo. Madrid: Aguilar,
1965, pp. 669-721.

Mariana Pineda. Romance popular en tres estampas. 1) Madrid: Riva-
deneyra, 1928. 2) «La Farsa», año II, núm. 52, 1, IX, 1928 (con tres

dibujos de Federico García Lorca, caricatura de Federico García Lorca
por Emilio Ferrer, bocetos de los decorados de la obra por Barberol).
3) Santiago de Chile: Edit. Moderna, 1928, 1937. 4) Buenos Aires:
Edit. Argentores, 1937 (con *Romancero gitano*). 5) «Obras completas», Buenos Aires: Losada, 1938. Vol. V, pp. 131-252. 6) Buenos
Aires, Losada, 1943. 7) México: Editorial Isla, 1945. 8) Buenos Aires:
Losada, 1948.

La niña que riega la albahaca y el príncipe preguntón (no publicado,
quizá perdido).

El paseo de Buster Keaton. La doncella, el marinero y el estudiante.
Quimera, en «Espiga» (Buenos Aires), 16-17 (1952-1953).

El paseo de Buster Keaton. (Teatro desconocido de Federico García Lorca.) «Anales», Órgano de la Universidad Central del Ecuador, volumen LXXXII, 337 (1954).

El público (escenas de un drama en cinco actos). 1) «Los Cuatro Vientos»
(Madrid), 3, 1934. 2) «Obras completas», Buenos Aires: Losada,
1938. Vol. VI, pp. 113-319.

Retablillo de don Cristóbal. Farsa para guiñol. «Obras completas», Buenos Aires: Losada, 1938, 1940. Vol. I, pp. 191-218 (con *Bodas de
sangre* y *Amor de don Perlimplín*).

El sacrificio de Ifigenia (no publicado, quizá perdido).

Los sueños de mi prima Aurelia (no publicado, quizá perdido).

Títeres de cachiporra: Tragicomedia de don Cristóbal y la señá Rosita.
Buenos Aires: Edición Losange, 1954.

Títeres de cachiporra: Tragicomedia de don Cristóbal y la señá Rosita.
Estudio y notas de Juan Guerrero Zamora. «Raíz» (Madrid), Facultad de Filosofías y Letras, núm. 3, 1949.

*Títeres de cachiporra: La niña que riega la albahaca y el príncipe pre-
guntón* (No publicado. Escenificado en Granada, Fiesta de los Reyes
Magos 1923, en Teatro Cachiporra Andaluz, y posteriormente en la
Sociedad de Cursos y Conferencias de Madrid.)

Yerma. 1) Buenos Aires: Edit. Anaconda, 1937. 2) Lima: Edit. Latina,
1937 (con *Llanto por Ignacio Sánchez Mejías*). 3) «Obras completas»,
Buenos Aires: Losada, 1938. Vol. III, pp. 9-104. 4) Santiago de
Chile: Edit. Iberia, fecha ? 5) Buenos Aires: Losada, 1944 (con *La
zapatera prodigiosa*) (id., Buenos Aires: Losada, 1946). 6) «Obras
completas», Buenos Aires: Losada, 1948. Vol. III. 7) Buenos Aires:
Losada, 1949 (con *La zapatera prodigiosa*).

La zapatera prodigiosa. 1) Ed. con notas, etc., por Edith F. Helman,
New York: W. W. Norton, 1952. 2) «Obras completas», Buenos
Aires: Losada, 1938, 1948. Vol. III, pp. 105-190.

B. POESÍA

Balada de los tres ríos, Gráfico de la Petenera, Plano de la Soleá (de
«Poema del cante jondo»), en «Antonia Mercé, la Argentinita», New
York: Columbia University, 1930.

Canción de la muerte pequeña, Poesía española. «Contemporáneos». Antología y selección de Gerardo Diego. Madrid: Signo, 1934. Pp. 443-444.

Canciones (1921-1924). 1) «Litoral» (Málaga), primer suplemento, 17 de mayo de 1927. 2) «Revista de Occidente» (Madrid, 1929). 3) Buenos Aires: Sur, 1933. 4) Madrid: Espasa-Calpe, 1935. 5) Santiago de Chile: Edit. Moderna, 1937. 6) «Obras completas», Buenos Aires: Losada, 1938, 1945. Vol. II, pp. 151-216.

Poema del cante jondo. 1) Madrid: C. I. A. P., 1931. 2) Selecc. Pablo Neruda, Madrid: Ed. Ulises, 1937 (contiene también «García Lorca en Montevideo», por A. M. Ferreiro). 3) Santiago de Chile: Edit. Veloz, 1937. 4) «Obras completas», Buenos Aires: Losada, 1938. Volumen IV, pp. 71-149. 5) México: Edit. Pax-México, 1940 (con *Romancero gitano, Llanto por Ignacio Sánchez Mejías*). 6) Buenos Aires: Losada, 1944, 1948.

Canto nocturno de los marineros andaluces, en «La Nación», Buenos Aires.

Casida del llanto (no publicada bajo el título *El llanto*). «Poesía española. Contemporáneos». Antología y selección de Gerardo Diego. Madrid: Signo, 1934.

Crucifixión. Notas por Miguel Benítez Inglott. Las Palmas, Canarias: Millares Sally Rafael Roca («Planas de Poesía», IX), 1950.

En la amplia cocina, la lumbre, en «Un poema inédito de Federico García Lorca». «Encuentro». Antología de Autores Modernos, Matosinhos, 1955.

Epitafio a Isaac Albéniz. 1) Publicado en un diario de Barcelona el 14 de diciembre de 1935. 2) Autógrafo de Federico García Lorca. Colección de Frank Marshall, reproducido por José Subira en «Historia de la música española». Barcelona: Salvat, 1953. 3) «Correo Literario», año V, II época (Madrid-Barcelona-Buenos Aires, septiembre 1954).

Escuela, en «Verso y Prosa» (Murcia, septiembre 1927). Incorporada póstumamente a «Poemas sueltos».

Gacela de la muerte oscura (bajo el título *Casida de la huida*), en «Floresta de Prosa y Verso», Facultad de Filosofía y Letras (Madrid), núm. 2, febrero 1936.

Gacela del mercado matutino, Gacela del amor con cien años, Casida de la mujer tendida boca arriba (más tarde bajo el título *Casida de la mujer tendida*), *Casida de la muerte clara* (más tarde bajo el título *Gacela de la huida*), en «Almanaque literario, publicado por Guillermo de Torre, Miguel Pérez Ferrero y E. Salazar y Chapela, Madrid: Edit. Plutarco, 1935.

El jardín de las morenas (incluye: 1) «Pórticos», 2) «Acacias», 3) «Encuentro», 4) «Limonar»), en «Índice» (Madrid), núm. 2, 1921.

A José de Ciria y Escalante, en «Verso y Prosa» (Murcia, 1926).

Libro de poemas. 1) Madrid: Maroto, 1921. 2) «Obras completas», Buenos Aires: Losada, 1945. Vol. II, pp. 15-138.

Llanto por Ignacio Sánchez Mejías. 1) Madrid: Ed. del Árbol, Cruz y Raya, 1935. 2) Corregido por José López Garmendia. Lima: Edit. Latina, 1937. 3) «Obras completas», Buenos Aires: Losada, 1938. Volumen IV, pp. 151-164 (con *Yerma*). 4) México: Edit. Pax-México, 1940 (con *Romancero gitano* y *Poema del cante jondo*). 5) Edit. Pax-México (México), 1942. 6) Buenos Aires: Losada, 1944.

Muerte, Ruina, Vaca, Nueva York, Oficina y denuncia, en «Revista de Occidente» (Madrid). Vol. XXXI, núm. XCI, enero 1931.

Noche. Suite para piano y voz emocionada (contiene: *Rasgos, Preludio, Rincón del cielo, Total, Un lucero, Franjas, Una madre, Recuerdo, Hospicio, Cometa, Venus, Abajo, La gran tristeza),* en «Índice» (Madrid), núm. 4, 1921.

Nocturno del hueco, en «Caballo verde para la poesía», Madrid, octubre 1935.

Oda a Salvador Dalí. 1) «Revista de Occidente» (Madrid), XII, 1926, 152-158. 2) «Homenaje al poeta García Lorca», Valencia, Barcelona, 1937, pp. 109-114. 3) «Obras completas», Buenos Aires: Losada, 1938. Vol. VI, pp. 179-185.

Oda al Santísimo Sacramento del Altar (fragmento), en «Revista de Occidente» (Madrid), VI, 1928, 184-186.

Oda a Sesostris (fragmento), en «Epistolario de García Lorca», cartas al poeta Jorge Zalamea, en «Revista de las Indias» (Bogotá), I, 5, 1937.

Oda a Walt Whitman. 1) «Alcancía» (México, 1933). 2) «Obras completas», Buenos Aires: Losada, 1938. Vol. VI, pp. 143-147. 3) «Poeta en Nueva York», México: Edit. Séneca, 1940, pp. 127-132.

Oda al rey de Harlem. 1) «Los Cuatro Vientos» (Madrid), núm. 1, 1933, 5-10. 2) «Obras completas», Buenos Aires: Losada, 1938. Vol. VI, pp. 153-157. 3) Bajo el título de *El rey de Harlem,* en «Poeta en Nueva York», México: Edit. Séneca, 1940, pp. 45-49. 4) (Una variante, pp. 145-149.)

Poeta en Nueva York (con cuatro dibujos originales, un poema de Antonio Machado, prólogo de José Bergamín). México: Edit. Séneca, 1940. *Poeta en Nueva York* (selección), Madrid: 1945. (Suplemento primero de «Cuadernos de Literatura Contemporánea», del Consejo Superior de Investigaciones Científicas. Prefacio de J. Entrambasaguas.)

Primer romancero gitano. 1) Prólogo de Antonio Arranz. Caracas: Editorial Elite, 1937. 2) Edición homenaje popular. Barcelona: Editorial Nuestro Pueblo, 1937. 3) Edición de homenaje popular, 2.ª edición. Barcelona: Edit. Nuestro Pueblo, 1938.

Primeras canciones. 1) Madrid: Ediciones Héroe, 1936. 2) «Obras completas», Buenos Aires: Losada, 1938, 1945. Vol. II, pp. 139-150 (con *Canciones* y *Seis poemas gallegos).*

Reyerta, en «Verso y prosa. Boletín de la Nueva Literatura». Suplemento literario de «La Verdad», dirigido por Juan Guerrero Ruiz (Murcia, octubre 1926). (Posteriormente incorporado al *Romancero gitano.*)

Romancero gitano. 1) Buenos Aires: Sur, 1933. 2) Madrid: Espasa-Calpe, 1935. 3) Santiago de Chile: Edit. Moderna, 1937. 4) Buenos Aires: Edit. Argentores, 1937 (con *Mariana Pineda*). 5) «Obras completas», Buenos Aires: Losada, 1938. Vol. IV, pp. 11-70. 6) México: Editorial Pax-México, 1940 (con *Poema del cante jondo* y *Llanto por Ignacio Sánchez Mejías*). 7) Buenos Aires: Losada, 1940. 8) México: Edit. Pax-México, 1945. 9) Prólogo de Rafael Alberti, Buenos Aires: Schapire, 1942. 10) Buenos Aires: Losada, 1943. 11) Santiago de Chile: 1943. 12) Buenos Aires: Losada, 1945 (con *Poema del cante jondo* y *Llanto por Ignacio Sánchez Mejías*). 13) México: 1945. 14) Buenos Aires: Losada, 1946, 1947, 1948, 1949. 15) En «La Gaceta de los Gitanos» (Granada, Jueves Santo 1943), selección de Jaime Torner y Luis Ponce de León.

Romancero de la luna de los gitanos, en «Verso y Prosa» (Murcia, julio 1927). (Incorporada posteriormente al *Romancero gitano.*)

Ruina, Niña ahogada en el pozo, Ciudad sin sueño, en «Poesía española. Antología» (1915-1931). Selección de Gerardo Diego. Madrid: Signo, 1932.

Seis poemas gallegos. 1) Santiago de Compostela: Edit. Nos, 1936. 2) Introducción de Eduardo Blanco Amor, en «Obras completas», Buenos Aires: Losada, 1938, 1940. Vol. II, pp. 217-231 (con *Libro de poemas* y *Primeras canciones*).

Siento, Con la frente en el suelo y pensamiento arriba, en «Arvore» (Lisboa). Vol. II, fasc. 1, núm. 4, 1953.

La sirena y el carabinero, en «La Gaceta Literaria» (Madrid), núm. 5, marzo 1927.

Soledad, en «Carmen» (Santander, 1927).

Son. 1) «Musicalia» (La Habana, 1930). 2) Emilio Ballegas, «Antología de la poesía negra», Madrid: Aguilar, 1935.

Suite de los espejos (incluye: *Símbolo, El gran espejo, Reflejo, Rayos, Réplica, Tierra, Capricho, Sinto, Los ojos, Initium, Berceuse al espejo dormido, Aire, Confusión, Remanso*), en «Índice» (Madrid), núm. 3, 1921.

Tierra y Luna, en «El tiempro Presente» (Madrid, marzo 1935).

Tres historietas del viento, Estampas del cielo, en «Verso y Prosa» (Murcia, agosto 1927).

Viñetas flamencas (incluye: *Adivinanza de la guitarra, Candil, Malagueña, Memento, Crótalo, Baile, Cazador, El niño mudo, Murió al amanecer, Canción de noviembre a abril, Remansos, Diferencias, Variación, Sigue, Remansillo, Canción oscura, Media luna*), en «Verso y Prosa. Boletín de la Nueva Literatura. Suplemento literario de 'La Verdad'» (Murcia, abril 1927). (Incorporado posteriormente a *Poema del cante jondo* y *Primeras canciones*).

C. PROSA

«Alternativa de Manuel López Banus y Enrique Gómez Arboleya», *Gallo* (Granada), núm. 1, febrero 1928.

«Amantes asesinados por una perdiz. Homenaje a Guy de Maupassant», en «Homenaje a Guiy de Maupassant», *Planas de Poesía* (Las Palmas), XI, 1950.

«Fantasía simbólica», *Boletín del Centro Artístico y Literario de Granada*, «Homenaje a Zorrilla, 1817-1917» (Granada, febrero 1917).

«La gallina» (cuento para niños tontos), *Revista Quincenal* (Vitoria), 5, núm. 3, mayo 1934.

«Historia de este gallo. Última leyenda de la ciudad de Granada». Nota preliminar de Enrique Gómez Arboleya. *Clavileño* (Madrid), I, 2, 1950, 63-64. (Reimpresión de *Gallo*, 1928.)

«La imagen poética de don Luis de Góngora». 1) *Residencia* (Madrid), IV, 1932, 94-100. 2) *Cursos y Conferencias* (Buenos Aires), X, 1963, 785-813.

Impresiones y paisajes. Granada: Impresión de Paulino Ventura, 1918.

«Nadadora sumergida. Suicidio en Alejandría», *L'Amic de les Arts* (Sitges-Barcelona, septiembre 1928).

«Poética» (De viva voz a Gerardo Diego), en Gerardo Diego, *Poesía española. Antología* (1915-1931), Madrid: Signo, 1932.

«Santa Lucía y San Lázaro», *Revista de Occidente,* XVIII, 1927, 145-155.

«La sirena y el carabinero», *La Gaceta Literaria* (Madrid), núm. 5, marzo 1927.

«Suicidio en Alejandría», *Carteles* (La Habana), 10 de abril 1938.

D. CONFERENCIAS, ENTREVISTAS, CARTAS, ETC.

«Arquitectura del cante jondo» (conferencia no publicada pronunciada en La Coruña en 1931, bajo los auspicios del Comité de Cooperación Intelectual).

«En el banquete de 'gallo'», *El Defensor de Granada* (9 marzo 1928).

Gil Benumeya: «Estampas de García Lorca», *Gaceta Literaria* (Madrid: 15 de enero 1931).

«El cante jondo (Primitivo canto andaluz)», *Noticiero Granadino* (febrero 1922).

«Cartas a José Bello», *Ínsula* (Madrid), 157, diciembre 1959.

«Cartas a Miguel Benítez Inglott y Aurina», en «Federico García Lorca: *Crucifixión*», *Planas de poesía* (Las Palmas), IX, 1950.

«Cartas a José Bergamín» (fragmento), en Federico García Lorca: *Poeta en Nueva York*. México: Séneca, 1940.

«Cartas a Ana María Dalí», en Federico García Lorca: *Cartas a sus amigos*. Barcelona: Cobalto, 1950.

«Cartas a Ana María Dalí», en Ana María Dalí: *Salvador Dalí visto por su hermana*. Barcelona: Juventud, 1949.

«Carta a Ángel del Río», en Ángel del Río: *Federico García Lorca (1899-1936)*. Nueva York: Hispanic Institute, 1941.

«Cartas a Melchor Fernández Almagro» (no publicadas).

«Cartas a Ángel Ferrant», en Federico García Lorca: *Cartas a sus amigos*. Barcelona: Cobalto, 1950.

«Cartas a Jorge Guillén». 1) *Inventario, Revista trimestrale*, Milano, Instituto Editoriale Italiano, III, 1 (primavera 1950). 2) *Quaderni Iberoamericani*, 1956. 3) *Cuadernos del Congreso por la Libertad de la Cultura* (París), núm. 20, septiembre-octubre. 4) Recopiladas posteriormente en Jorge Guillén, *Federico en persona*, Buenos Aires: Emecé, 1959.

«Cartas a Miguel Hernández», *Bulletin Hispanique* (Burdeos), julio-septiembre 1958.

«Cartas a Carlos Morla Lynch», en C. Morla Lynch: *En España con Federico García Lorca*. Madrid: Aguilar, 2.ª ed., 1958.

«Carta a Federico de Onís», en Federico de Onís: *Federico García Lorca (1899-1936)*. Nueva York: Hispanic Institute, 1941.

«Carta a Joaquín Romero Marube», *Ínsula* (Madrid), núm. 94, 15 octubre 1953.

«Cartas a sus amigos y un poema inédito», prólogo de Sebastián Gasch, Barcelona: Cobalto, 1950.

Chabas, Juan. «Federico García Lorca y la tragedia», *Luz* (Madrid, 3 de julio 1934).

— «Vacaciones de La Barraca», *Luz* (Madrid, 3 de septiembre 1934).

«Charla sobre teatro», *Quaderni Iberoamericani* (Turín), 2, 1946, 34-36. (Tomado del vol. VII de «Obras completas», Buenos Aires: Losada.)

«Declaraciones de García Lorca sobre teatro», *Heraldo de Madrid* (8 de abril 1936).

«Diálogos de un caricaturista salvaje. Federico García Lorca habla sobre la riqueza poética y vital mayor de España», *El Sol* (Madrid, 10 de junio 1935).

«Un documento: Federico García Lorca y Pablo Neruda y su discurso al alimón sobre Rubén Darío», *El Sol* (Madrid, 30 de diciembre 1934).

«Entre un gran catalán y un gran gitano» (diálogo filosófico entre el caricaturista Bagaria y Federico García Lorca). 1) *El Sol* (Madrid, abril 1963). 2) *Verdades* (San Juan, Puerto Rico, 1937), número dedicado a Federico García Lorca, pp. 31-32.

«Epistolario de García Lorca (cartas a Jorge Zalamea)», *Revista de las Indias* (Bogotá), I, 5, 1937, 23-25.

«En Fuentevaqueros», *El Defensor de Granada* (21 de mayo 1929).

«Federico García Lorca en el Lyceum», *El Sol* (19 de febrero 1929). (Conferencia sobre «Imaginación, inspiración, evasión».)

«En homenaje a Luis Cernuda», *El Sol* (Madrid, 21 de abril 1936).

«Homenaje a Soto de Rojas», *El Defensor de Granada* (19 y 30 de octubre 1926).

«Imaginación, inspiración, evasión». 1) *El Defensor de Granada* (12 de octubre 1928). 2) *El Sol* (Madrid, 14 de febrero 1929).

«Una interesante iniciativa. El poeta Federico García Lorca habla de los clubs teatrales», *El Sol* (Madrid, 5 de abril 1933). (Habla de *La zapatera prodigiosa* y *Amor de don Perlimplín.*)

Laffranque, Marie, «Federico García Lorca. Textes en prose tirés de l'oubli», *Bulletin Hispanique* (Burdeos), LXXV. Vol. LV, 3-4, 1953, 296-348.

— «Nouveaux textes en prose tirés de l'oubli», *Bulletin Hispanique* (Burdeos), LXXVI. Vol. LVI, 3, 1954.

— «Declarations et interviews rétrouvés», *Bulletin Hispanique* (Burdeos), LXXVIII. Vol. LVIII, 3 (julio-septiembre 1956), 301-343.

— «Encore trois textes oubliés», *Bulletin Hispanique* (Burdeos), LXXIX. Vol. LIX, 1 (enero-marzo 1957), 62-71.

— «Conferences, declarations et interviews oubliés», *Bulletin Hispanique* (Burdeos), LXXX. Vol. LX (octubre-diciembre 1958), 508-545.

«María Blanchard». No publicado, quizá, en manos de Regino Sainz de la Maza.

«Mariana Pineda en Granada», *El Defensor de Granada* (mayo 1929).

Méndez Domínguez, L., «*Iré a Santiago*. Poema de Nueva York en el cerebro de García Lorca», *Blanco y Negro* (Madrid), núm. 2.177 (15 de marzo 1933).

«Notas de arte. Sainz de la Maza», *Gaceta del Sur* (Granada, 27 de mayo de 1920).

«Otras cartas a Sebastiá Gasch» 1), en Guillermo Díaz-Plaja. *Federico García Lorca,* Buenos Aires: Kraft, 1948. 2) *Federico García Lorca. Cartas a sus amigos.* Barcelona: Cobalto, 1950.

«El poeta en Nueva York» (Conferencia y lectura de versos por Federico García Lorca en la Residencia). 1) *El Sol* (Madrid), 17 de marzo de 1932. 2) En *Conferencias, Prosas póstumas.* Buenos Aires: Losada, 1942, vol. VII de *Obras completas* con *Poeta en Nueva York.* 3) Id. Buenos Aires: Losada, 1943.

Prats, A., «El poeta Federico García Lorca espera para el teatro la llegada de la luz de arriba del Paraíso», *El Sol* (Madrid, 15 de diciembre de 1934).

Sánchez Trincado, «Hablando con García Lorca», *Hoja Literaria* (Barcelona), núm. 1 (1936).

— «Sketch de la pintura moderna», *El defensor de Granada* (28 de octubre de 1928).

«20 cartas a Sebastiá Gasch», en Federico García Lorca, *Cartas a sus amigos.* Barcelona: Cobalto, 1950.

E.   OBRAS COMPLETAS Y SELECCIONES

Antología. Selección y prólogo de María Zambrano. 1) Santiago de Chile, 1936. 2) Segunda ed. Santiago de Chile: Edit. Panorama, 1937. (Contiene también poemas de Antonio Machado, Rafael Alberti y Pablo Neruda.)

Antología de García Lorca. Selección de J. M. Ruiz Esparza. Suplemento de Letras (México, octubre 1934), 37-49.

Antología poética. Selección y prólogo de Norberto Pinilla. Santiago de Chile, 1937.

Antología poética (1918-1936). Selección de Rafael Alberti y Guillermo de Torre. Buenos Aires: Edit. Pleamar, 1943, 1947 (con una fotografía y dibujos originales).

Antología poética. Ilustrada por Bartolí y Domingo. Prólogo de Ismael Edwards Matte. México: Edit. Costa-Amic, 1944.

Antología poética. Selección y prólogo de Eugenio de Andrade. Con un estudio de Andrés Crabb Rocha y un poema de Miguel Torga. Coimbra: Edit. Coimbra, 1946.

Antología selecta de Federico García Lorca. Buenos Aires: Edit. Teatro del Pueblo, 1937 (contiene un ensayo de Pablo Neruda y poemas dedicados a Lorca por Alfonso Reyes y otros ocho poetas).

Batista, Julián. *Tres ciudades.* (Canciones basadas en poemas de Federico García Lorca para soprano y piano y para soprano y orquesta.) Barcelona: Consejo Central de la Música, Ministerio de Instrucción Pública y Bellas Artes, 1937.

Breve antología. Poemas seleccionados y presentados por Juan Marinello. México: Antigua Librería Robredo de Porrúa e hijos, 1936.

Cinco farsas breves seguidas de «Así que pasen cinco años». (Los títeres de Cachiporra, Retablillo de don Cristóbal, La doncella, el marinero y el estudiante, El paseo de Buster Keaton, Quimera, Así que pasen cinco años.) Prólogo de Guillermo de Torre. Buenos Aires: Losada, 1953. (Biblioteca Contemporánea, núm. 251.)

Obras completas. Prólogo y selección de Guillermo de Torre. Buenos Aires: Losada, 1938-1942, 7 vols. (Contiene: vol. I, *Bodas de sangre, Amor de don Perlimplín con Belisa en su jardín, Retablillo de don Cristóbal;* vol. II, *Libros de poemas, Primeras canciones, Seis poemas gallegos;* vol. III, *Yerma, La zapatera prodigiosa;* vol. IV, *Romancero gitano, Poema del cante jondo, Llanto por Ignacio Sánchez Mejías;* vol. V, *Doña Rosita la soltera, Mariana Pineda;* vol. VI, *Así que pasen cinco años, Poemas póstumos;* vol. VII, *Poeta en Nueva York, Conferencias, Prosas póstumas.)* 2.ª ed., 1940-1944; 3.ª ed., 1942-1946; 4.ª ed., 1944.

Obras completas. Selección y notas de Arturo de Hoyo, prólogo de Jorge Guillén, epílogo de Vicente Aleixandre. Madrid: Aguilar, 1954. (Colección de Obras Eternas.) 1.ª ed. (Prosa: impresiones, narraciones, conferencias. Poesía: *Libro de poemas, Poema del cante jondo, Pri-*

meras canciones, Canciones, Romancero gitano, Poeta en Nueva York, Llanto por Ignacio Sánchez Mejías, Seis poemas gallegos, Diván del Tamarit, Poemas sueltos, Cantares populares. Teatro: *El maleficio de la mariposa, Los títeres de Cachiporra - Tragicomedia de don Cristóbal y la señá Rosita, Mariana Pineda, Teatro breve - El paseo de Buster Keaton, La doncella, el marinero y el estudiante, Quimera, La zapatera prodigiosa, Amor de don Perlimplín con Belisa en su jardín, Retablillo de don Cristóbal, Así que pasen cinco años, El público, Bodas de sangre, Yerma, Doña Rosita la soltera o El lenguaje de las flores, La casa de Bernarda Alba.* Otras páginas, impresiones y paisajes (selección), varia, apéndice, dibujos, música de las canciones. Notas, bibliografía, cronología de la vida y la obra de Federico García Lorca, notas al texto.) 10.ª edición, 1965.

Obras inéditas: «Diván del Tamarit», «Poesías inéditas», «Quimera», «Una carta», *Revista Hispánica Moderna,* VI (1940), 307-314.

«Poemas póstumos», 1) *Sur* (Buenos Aires), VII, 34 (1937), 29-32. *(Ribera de 1910* y *Aire de Amor.)* 2) En *Obras completas,* Buenos Aires: Losada, 1938, vol. IV.

Poemas escogidos de Federico García Lorca. La Habana: La Verónica, Imprenta de M. Altolaguirre, 1939. (Colección El Ciervo Herido.)

Poesías. Prólogo de Luciano Taxonera. Madrid: Edit. Alhambra, 1944.

Presencia de García Lorca. Prólogo y selección de Agustín Bartra. México: Edit. Darro, 1944.

Prosa y poesía. (Selecciones.) *Revista de las Indias* (Bogotá), I, 5 (1937), 59-81.

«Selections of his Poetry», en *Revista Hispánica Moderna,* VI, 3-4 (julio-octubre 1940), pp. 372-381.

F. DIBUJOS

«Arlequín veneciano», *L'Amic de les Arts* (Sitges), núm. 18 (septiembre 1927).

«Cartas a José Bello», *Ínsula* (Madrid), núm. 157 (diciembre 1927).

Cartas a sus amigos. Barcelona: Cobalto, 1950. (Contiene treinta reproducciones de fotografías, autógrafos y dibujos de F. G. L.)

Dalí, Ana María. *Salvador Dalí visto por su hermana.* Barcelona: Juventud, 1949.

Dibujos. Introducción y notas de Gregorio Prieto. Madrid: Edit. Afrodisio Aguado, 1950. (Colección «La cariátide».)

«Dos dibujos» (ilustrando *Nadadora sumergida* y *Suicidio en Alejandría), L'Amic de les Arts* (Sitges), núm. 28 (31 de septiembre de 1928).

— *L'Amic de les Arts* (Sitges), núm. 28 (21 de octubre de 1928).

«Fábula», *Cuaderno de literatura y arte* (La Plata, Argentina), I, 6 (julio-agosto de 1937).

Anthologie poetique. Selección y traducción de Félix Gattegno (con dibujos de Federico García Lorca), París: G. L. M., 1948.

«García Lorca, Federico. Grénade, paradis à beaucoup interdit», *Verve* (París), I, 4 (1938).

Gebser, Jean, *Gedichte eines Jahres.* Berlín: Die Rabenpresse, 1936.

— *Lorca oder das Reich der Mutter.* Stuttgart: Deutsche Verlagsanstalt, 1949.

— *Lorca, poète-dessinateur.* 1) París: G. L. M., 1949. 2) *Combat* (París, abril 1949).

— *Poetisches Taschenbuch: 1937.* Berlín: Die Rabenpresse, 1936.

«Marinero con flechas», en Federico García Lorca. *Títeres de Cachiporra.* Buenos Aires: Losange, 1953.

«Marinero y columna», en Federico García Lorca. *Títeres de Cachiporra.* Buenos Aires: Losange, 1953.

Marinero y mujer. 1) Buenos Aires, 1934. 2) En *Títeres de Cachiporra.* Buenos Aires: Losange, 1953.

Molinari, Ricardo de, *Una rosa para Stefan George. Dibujo de Federico García Lorca.* Buenos Aires: Colombo, 1934.

Novo, Salvador, *Seamen shymes. Dibujos de Federico García Lorca.* Buenos Aires: Colombo, 1934.

Obras completas. Recopilación y notas de Arturo del Hoyo. Madrid: Aguilar, 1954, 10.ª ed., 1965. (Colección Obras Eternas.) (27 dibujos en blanco y negro y 4 en color.)

Poeta en Nueva York (con cuatro dibujos originales). México: Séneca, 1940.

«Le poète à New York. Avec l'Ode a Federico García Lorca». Selección y traducción de Guy Levis Mano. París: G. L. M., 1948.

Prieto, Gregorio, *García Lorca as a painter.* Londres: The De La More Press, Ltd., 1943.

Primer romancero gitano, 1924-1927, en *Revista de Occidente* (Madrid), 1928.

Tabernáculo. Dibujo de Federico García Lorca. Buenos Aires: Colombo, 1934.

Río, Ángel del. «La literatura de hoy, El poeta Federico García Lorca», *Revista Hispánica Moderna* (Nueva York), I, 3 (abril 1935), pp. 174-184.

«Selection of his Poetry», en *Revista Hispánica Moderna,* VI, 3-4 (julio-octubre 1940), pp. 372-381. (Contiene dibujos.)

«Siete poemas y dos dibujos inéditos», publicado por Luis Rosales, *Cuadernos Hispanoamericanos* (Madrid), núm. 10 (julio-agosto 1949).

«Le temps de la Poèsie», G. L. M. (París), Deuxieme cahier (diciembre 1948).

Títeres de Cachiporra. Buenos Aires: Ediciones Losange, 18 (contiene dos dibujos en negro).

G. TRADUCCIONES DE TEATRO [1]

1. Inglés

Blood Wedding. Trad. por Gilbert Neiman. Norfolk, Connecticut; *New Directions in Prose and Poetry,* 1939, pp. 3-61.
Comedies. Introducción de Francisco García Lorca, trad. por Richard L. O'Connell y James Graham-Luján. Nueva York: New Directions Press, 1954. (Contiene *The Shoemaker's Prodigious Wife, Don Perlimplín, Doña Rosita the Spinster* y *Maleficio de la mariposa.)*
Five Plays. Introducción de Stark Young, trad. por Richard L. O'Connell y James Graham-Luján. Nueva York: Scribner's 1941. (Contiene *Yerma, Así que pasen cinco años, Doña Rosita, la soltera, Amor de don Perlimplín* y *La zapatera prodigiosa.)*
The Frame of don Cristóbal. «Some Little Known Wrirings of Federico García Lorca», trad. por Edwin Honig. Norfolk, Connecticut: New Directions in Prose and Poetry, 1914.
Three Tragedies of Federico García Lorca. Trad. por Richard L. O'Connell y James Graham-Luján. Nueva York: New Directions Press, 1947. (Contiene *Blood Wedding, Yerma, House of Bernarda Alba.)*
«Trip to the Moon», trad. por Bernice G. Duncan. *New Directions in Prose and Poetry 18,* revisado por J. Laughlin. Norfolk; New Directions Books, 1964, pp. 33-41. (El original español de este guión pertenece quizá a Emilio Amero.)

2. Francés

Amour de Don Perlimplín et de Belise dans leur jardin. Trad. por Jean-Marie Soutois. Lyon: Barkzat, 1945.
Amour de Don Perlimplín avec Belise en son jardin. Trad. por Jean Camp. París: Librairie Théatrale, 1954.
Oeuvres completes (teatro). París: Nouvelle Revue Francaise, 1954. (Tome III: Theatre: *Mariana Pineda, La savatière prodiguieuse, Les Amours de Perlimplín et Belisa, Le Malefice de Pabillon.* Trad. por André Belamiche. Tome IV, Théâtre: *Yerma, Noces de Sang, Doña Rosita,* trad. por Marcelle Auclaire. Tome V: Théâtre: *Le Petit Rétable de don Cristóbal, Lorsque cinq ans auront passé, La maison de Bernarda, Le Public, Petit Théâtre.* Trad. por Marcelle Auclaire, André Belamich, Claude Couffon y Paul Verdevoye.)
La maison de Bernarda. Trad. por Jean Créach. París: Illustration, 1951.
La maison de Bernarda Alba. Trad. por Jean-Marie Créach; prefacio de

[1] Las obras de García Lorca se han traducido ampliamente. Si se desea información de otros géneros, consúltese *Obras completas,* selección y notas de Arturo de Hoyo. Madrid: Aguilar, 1965.

Jean Cassou; ilustraciones de Carlos Fonsere. París: Le Club Française de Livre, 1946.

Mariana Pineda. Trad. por André Massis. París: Théatre Charles de Rochefort, 1946.

La noce meutrière. Trad. por Marcelle Auclaire y Jean Prévost en *La Nouvelle Revue Française* (París), núms. 295, 296, 297 (1938).

Noces de Sang. Yerma. Trad. por Marcelle Auclaire, Jean Prévost y Paul Lorenz. París: Gallimard, 1946.

Noces de Sang. Trad. por Robert Namia. Algiers: Charlot, sin fecha.

Le petit rétable de Don Cristóbal. Trad. por André Camp. París: Librairie Theatrale, 1954.

Le petit rétable de Don Cristóbal. Trad. por Robert Naucia. Algiers: Charlot, 1954.

Le petit rétable de Don Cristóbal. Trad. por André Camp. París: L'Espagne Libre, 1946.

Petit Théatre. Trad, por Claude Couffon; ilustrado por Dubont. París: Les Lettres Mondiales, 1951. (Contiene *La doncella, el marinero y el estudiante, Quimera, El paseo de Buster Keaton.*)

«Le Public», en *La Nouvelle Revue Française* (París, 1955).

La Savatière prodigieuse. Trad. por Mathilde Pomes. París. R. Laffont, 1946.

Théatre I. Noces de Sang. Yerma. Doña Rosita. París: Gallimard, 1953.

Yerma, Poème tragique en prose et en verse. Prefacio y trad. por Etienne Vauthier. Brussels: Imp. Van Dooslaer, 1939.

Yerma, Trad. por Jean Camp en *L'Avant-Scène, Journal du Théatre* (París), núm. 98 (1954).

Yerma, poème tragique. Trad. por Joan Viet. París: P. Seghers, 1947.

3. Alemán

Dramatische Dichtungen. Trad. por Enrique Beck. Wiesbaden: Insel-Verlag, 1954. *(Mariana Pineda, In seinen Garten liebt Don Perlimplín, Belisa; Die wundersame Schustersfrau, Sobald funf Jahre verghen, Bluthochzeit, Yerma, Doña Rosita breibt ledig, Bernarda Alba Haus.)*

4. Italiano

Amore di Don Perlimplín con Belisa nel suo giardin. Trad. por Dimma Chirone, en Ildramma (Turín), núms. 12-13 (15 de mayo de 1946).

Mariana Pineda. Trad. por A. Baldo; introducción de O. Macri. Modena: Guanda, 1946. (Collana del Teatro Universale.)

Mariana Pineda. Trad. por Nardo Languasco, en *In dramma* (Turín), núms. 12, 13, 15 (1946).

Nozzi de sangue. Trad. por Giuseppe Valentini en *Il dramma* (Turín), núms. 410-411 (1943).

Nozze di sangue (con *Lamento por Ignacio Sánchez Mejías*, y *Diálogo dell Amargo*). Trad. por Elio Vittorini. Milán: Bompiani, 1942.

Teatro. Trad. por Vittorio Bodini. Milán: Einaudi, 1952.

Teatro spagnolo. Trad. por Elio Vittorini. Milán: Bompiani, sin fecha (Coll. Pantheon).

Quadretto di Don Cristóbal. Farsa per marionette. Trad. por Dimma Chirone, en *Il dramma* (Turín, 15 de mayo de 1946).

La zapatera prodigiosa. Trad. por Nardo Languasco, en *Il dramma* (Turín), núms. 12-13 (15 de mayo de 1946).

Yerma. Trad. e introd. de Luggero Jacobi. Roma: Edizioni del Secolo, 1944.

5. Ruso

Krovavaja svad'ba. Trad. por F. V. Kel'in y A. V. Fecral'skij. Moscú, 1939. (Contiene *Bodas de sangre, Yerma* y *La casa de Bernarda Alba.)*

La zapatera prodigiosa. Trad. por A. Kagarlitski (prosa) y F. Kelin (verso). Lugar y fecha de publicación ignorados.

H.　ADAPTACIONES

Blood Wedding. Ballet por Denis Aplvor y Alfred Rodrigues; música de Denis Aplvor; decorados y vestuario de Isabel Lambert; interpretado por Doreen Tempest, Sheilah O'Reilly, Pirmin Trecu, etc. Estrenada por la Compañía Sadler's Wells Theatre Ballet en el Sadler's Wells Theatre, Londres. Véase 1) *Bulletin de l'Institut International du Théatre. Créations mondiales.* (Publicado mensualmente con la cooperación de la UNESCO.) París, núm. 10 (julio 1953). 2) *The Ballet Annual.* Eighth Issue, ed. por Arnold L. Haskell. Londres, 1953.

Le chant funebre pour Ignacio Sánchez Mejías. Trad. por Roland Simon; acompañamiento de guitarra de Jean Borredon; adaptación escénica de Marcel Lupovici; dirigida por Lucien Beer y Robert de Ribon; presentada por la Compañía Marcel Lupovici en un acto y dos cortinas; decorados de Pablo Picasso; representada en el Theatre de l'Oeuvre, París: 13 de octubre de 1953. Véase: 1) *Bulletin de l'Institut International. Créations Mondiales.* (Publicado mensualmente con la cooperación de la UNESCO.) (París), V, 7 (abril 1954). 2) G. Lerminier en *Le Parisien Liberé.* 3) R. Kemp en *Le Monde.*

«Las hermanas», por Macmillan, Kenneth. Ballet basado en *La casa de Bernarda Alba.* Representado por el American Ballet Theatre en el New York City Center, 29 de noviembre 1967.

Llanto por Ignacio Sánchez Mejías. Recitado por Eduardo Blanco-Amor en «Voces y Textos» (serie de discos), Santiago de Chile: Cruz del Sur.

Reutter. *Spanish Totentanz.* (Inspirado en algunos poemas de Federico García Lorca; estrenada en Brunswick.) Véase *Quaderni Iberoamericani* (Turín), XII (1954).

Romancero gitano. Guión cinematográfico de María Dolores Mejías. Véase «El romancero gitano en la pantalla», *Ínsula* (Madrid), número 100 (30 de abril 1954).

II. ESTUDIOS Y BIBLIOGRAFÍA SOBRE GARCÍA LORCA [2]

A. TEATRO

Alduante Phillips, Arturo. *Federico García Lorca a través de Margarita Xirgu.* Santiago de Chile, 1937.

Anónimo. «El teatro universitario La Barraca». *El Sol* (Madrid), 22 de agosto 1935.

Arai Espinosa, María del Rosario Sachi. «El teatro poético de Federico García Lorca». Tesis doctoral no publicada, Universidad de México, 1946.

Babín, María Teresa. «El mundo poético de Federico García Lorca». Disertación de doctorado en Filosofía no publicada. Universidad de Columbia, 1951.

Bianchi, Sarah. *El guiñol en García Lorca.* Buenos Aires: Cuadernos del Unicornio, 1953.

Blanco-González, Manuel. «Lorca: the tragic trilogy». *Drama Critique,* IX, 2 (primavera 1966), 91-97.

Cano, José Luis. «De *El maleficio de la mariposa* a *Mariana Pineda».* *Cuadernos Americanos,* 123 (4) (julio-agosto 1962), 201-213.

Colecchia, Francesca María. «The Treatment of Woman in the Theater of Federico García Lorca». Disertación de doctorado en Filosofía no publicada. Universidad de Pittsburgh, 1954.

Dewhirst, Margaret. *The Tragic Element in the Drama of Federico García Lorca.* Eugene, Oregon: University of Oregon Press, 1947.

Díez Canedo, Enrique. «*Mariana Pineda,* de Federico García Lorca, en Fontalba». *El Sol* (Madrid), 13 octubre 1927.

Fernández Almagro, M. «*Bodas de sangre».* *El Sol* (Madrid), 9 de marzo 1933.

Fulbeck, John Frederick. «A Comparative Study of Poetic Elements in Selected Plays by John Millington Synge and by Federico García Lorca». Disertación doctoral no publicada. Universidad del Sur de California, 1960.

Greenfield, Sumner M. «Poetry and Stagecraft in *La casa de Bernarda Alba».* *Hispania,* XXXVIII, 4 (diciembre 1955), 456-461.

[2] Ésta es sólo una bibliografía parcial. Si se desea una lista más completa, consúltese Bibliografía: Sección II, D, y Federico García Lorca, *Obras completas,* Madrid: Aguilar, 1965.

Guerrero Zamora, Juan. *El teatro de García Lorca*. Madrid: Colección Raíz, 1948.

Higginbotham, Virginia. «The Comic Spirit of Federico García Lorca». Disertación de doctorado en Filosofía no publicada. Universidad de Tulane, 1966.

Lichtman, Celia Schmukler. «Federico García Lorca: A Study in Three Mythologies». Disertación de doctorado en Filosofía no publicada. Universidad de Nueva York, 1965.

Lima, Robert. *García Lorca's Theater*. Nueva York: Las Américas Publishing Company, 1963.

Morby, Edwin S. «García Lorca in Sweden». *Hispanic Review*, XIV, 1 (enero 1946), 38-46.

Nourissier, François. *Federico García Lorca, dramaturge*. París: L'Arche, 1955.

Olmos García, Francisco. «García Lorca y el teatro clásico». *Revista de la Univ. de México* (México, D. F.), 16, 6 (febrero 1960) 3-13.

— «Las ideas dramáticas de García Lorca». *Cultura Universitaria* (Caracas), julio-diciembre 1960, 56-80.

Pérez Marchand, Monelisa L. «Apuntes sobre el concepto de la tragedia en la obra dramática de García Lorca», *Asomante* (enero-marzo 1948).

Sánchez, Robert G. *García Lorca, estudio sobre su teatro*. Madrid: Jura, 1950.

— «The Theatre of Federico García Lorca». Disertación de doctorado en Filosofía no publicada. Universidad de Wisconsin, 1949.

Villegas, Juan. «El *leit motiv* del caballero en *Bodas de sangre*». *Hispanófila*, X, 2 (enero 1967), pp. 21-36.

Zdnenek, Joseph W. «La mujer y la frustración en las comedias de García Lorca», *Hispania*, XXXVIII, 1 (marzo 1955), 67-72.

B. GENERAL

Crow, John A. *Federico García Lorca*. Berkeley y Los Ángeles: University of California Press, 1945.

Díaz-Plaja, Guillermo. *Federico García Lorca*. Buenos Aires: Edit. Guillermo Kraft, 1948.

Durán, Manuel. *Selección de Lorca*. (Colección de ensayos críticos.) Englewood Cliffs, New Jersey: Prentice-Hall, 1962. (Contiene importantes artículos sobre el teatro de Lorca.)

Guillén, Jorge. *Federico en persona*. Buenos Aires: Emecé, 1959.

Honig, Edwin. *García Lorca*. Norfolk, Connecticut: New Directions, 1963.

Jackson, Richard L. «La presencia de la greguería en la obra de García Lorca». *Hispanófila*, 25 (septiembre 1965), 51-55.

Mora Guarnido, José. *Federico García Lorca y su mundo; testimonio para una biografía*. Buenos Aires: Losada, 1958.

Moreno Villa, José. *Vida en claro*. México, 1944.

Río, Ángel del. *Federico García Lorca (1899-1936)*. Nueva York: Hispanic Institute, 1941.

Vian, Cesco. *Federico García Lorca, poeta e drammatturgo*. Milán: Universitá Cattolica, 1951.

C. POESÍA

Barea, Arturo. *Lorca, el poeta y su pueblo*. Buenos Aires: Losada, 1957.

— *Lorca: The Poet and His People*. Trad. por Ilya Barea. Nueva York: Grove Press, 1958.

Bosch, Rafael. «El choque de imágenes como principio creador de García Lorca». *Revista Hispánica Moderna*, XXX, 1 (enero 1964), 35-44.

Campbell, Roy. *Lorca: An Appreciation of his Poetry*. New Haven, Connecticut: Yale University Press, 1952.

Chica-Salas, Susana. «Synge y García Lorca: aproximación de dos mundos poéticos». *Revista Hispánica Moderna*, V, 27, 2 (abril 1961), 128-137.

Correa, Gustavo. «El simbolismo religioso en la poesía de Federico García Lorca». *Hispania*, XXXIX, 1 (marzo 1956), 41-48.

Fletcher, J. G. «Lorca in English», en *Poetry*, LXI (1940), 343-347.

Flys, Jaroslaw M. *El lenguaje poético de Federico García Lorca*. Madrid: Gredos, 1955.

Trend, John Brende. *Lorca and the Spanish Poetic Tradition*. Oxford: Blackwell, 1956.

Zardoya, Concha. «La técnica metafórica de Federico García Lorca». *Revista Hispánica Moderna*, XX, 4 (octubre 1954), 295-326.

D. BIBLIOGRAFÍA

Crow, John. «Bibliografía hispanoamericana de García Lorca». *Revista Iberoamericana*, I, 2, pp. 469-483.

— «Federico García Lorca en Hispanoamérica», *Revista Iberoamericana* (noviembre 1939), 307-319.

Hispanic Institute in the United States. *Federico García Lorca: vida y obra, bibliografía, antología, obras inéditas, música popular*. Nueva York, 1941.

La Biblioteca Pública de Nueva York, en el Lincoln Center, Sala 525, dispone de listas y fotografías de producciones.

Rosenbaum, S. C., y Guerrero Ruiz, J. «Federico García Lorca, bibliografía». *Revista Hispánica Moderna*, I, 3, pp. 186-187.

III. TEATRO EN GENERAL

Bentley, Eric. *In search of Theater*. Nueva York: Vintage Books, 1954.

— *The Playwright As a Thinker*. Nueva York: Reynal and Hitchcock, 1946.

— *What is Theater?* Boston: Beacon Press, 1956.

Dickinson, Thomas H. *Recent Trends in the European Theater.* Nueva York: Holt, 1937.

— *The Theatre in a Changing Europe.* Nueva York: Henry Holt, 1937.

Fiebleman, James. *In Praise of Comedy.* Londres: George Allen and Unwin Ltd., 1936.

Fergusson, Francis. *The Idea of a Theatre.* Princeton, New Jersey: Princeton University Press, 1949.

Gassner, John. *Masters of the Drama.* Nueva York: Random House, 1940.

Golberg, Isaac. *The Drama of Transition.* Cincinnatti: Stewart Kidd Company, 1922.

Ionesco, Eugene. *Notes and Counter Notes.* Trad. por Donald Watson. Nueva York: Grove Press, 1954.

Peers, Allison E. *The Romantic Movement in Spain,* 2 vols. Cambridge, Inglaterra: Cambridge University Press, 1940.

Salinas, Pedro. *Literatura española siglo XX.* México, D. F.: Antigua Librería Robredo, 1945.

Valbuena Pratt, Ángel. *Literatura dramática española.* Barcelona: Editorial Labor, 1950.

IV. OBRAS MISCELÁNEAS RELACIONADAS CON ESTE ASUNTO

Aveling, Francis. *Personality and Will.* Nueva York: D. Appleton and Company, 1931.

Beardsley, Monroe C., y Beardsley, Elizabeth L. *Philosophical Thinking.* Nueva York: Harcourt Brace and World, 1965.

Benavente y Martínez, Jacinto. *Señora ama. La malquerida,* en *Obras completas.* Madrid: Aguilar, 1940, vol. III, pp. 200-277, 695-756.

Bergson, Henri. *Time and Free Will.* Trad. por F. L. Pogson Londres: George Allen & Unwin, 1921.

Calderón de la Barca, Pedro. *El alcalde de Zalamea.* Madrid: Talleres Gráficos Escelicer, 1959.

— *La vida es sueño.* Ed. Everett W. Hesse. Nueva York: Scribners, 1961.

Casona, Alejandro. *La dama del alba,* en *Obras completas* Madrid: Aguilar, 1961, tomo I, pp. 357-433.

Farrer, Austin. *Freedom of the Will.* Londres: Adam y Charles Black, 1956.

Ferrater Mora, José. *Diccionario de Filosofía,* 2 vols. 5.ª edición. Buenos Aires: Editorial Sudamericana, 1956.

Guerra, Manuel H. *El teatro de Manuel y Antonio Machado.* Madrid: Edit. Mediterráneo, 1966.

Hamilton, Edith. *Mythology.* Boston: Little, Brown and Co., 1944.

Hartzenbusch, Juan Eugenio. *Los amantes de Teruel,* en *Nineteenth*

Century Spanish Plays. Selección L. E. Brett. Nueva York: D. Appleton-Century Co., 1935, pp. 122-165.

Hesse, Everett W. «The Incest Motif in Tirso's *La venganza de Tamar*». *Hispania*, XLVII, 2 (mayo 1964), 268-276.

James, William. «Dilemma of Determinism». *Philosophical Problems*. Selección de Maurice Mandelbaum, *et al*. Nueva York: The MacMillan Company, 1957, pp. 317-328.

Krause, Sidney J. Selección de. *Essays on Determinism in American Literature*. Kent, Ohio: Kent State University Press, 1964

Maeterlinck, Maurice. *The Blue Bird*. Trad. por A. A. Teixera W. Matte. Nueva York: Todd, 1911.

Malik, Charles. «The Metamorphosis of Freedom». *Freedom and Man*. Nueva York: P. J. Kennedy & Sons, 1965, pp. 183-200.

Malinowski, Bronslaw. *Freedom and Civilization*. Bloomington, Indiana: Indiana University Press, 1964.

McDougall, William. «The Growth of Self-Conciousness and of the Self-Regarding Sentiment», *Social Psychology*. Londres: Methuen & Co., Ltd., 1928. Cap. VII, pp. 150-179.

Ortega, Augusto A. *Razón teológica y experiencia mística*. Madrid: Editorial Nacional, 1944.

Pérez Galdós, Benito. *Doña Perfecta*. Madrid: Casa Editorial Hernando, 1927.

Racine, Jean Baptiste. *Phedre*. Nueva York: Darcie & Corbyn, 1855. (Colección Rachel's.)

Rojas, Fernando de. *La Celestina*. México: Ediciones Ateneo, 1961.

Shakespeare, William. *As You Like It*. Ed. William J. Rolfe. Nueva York: Harper and Brothers, 1896.

Smith, Horatio. Ed. *Columbia Dictionary of Modern European Literature*. Nueva York: Columbia University Press, 1947.

Stone, Edward. *What Was Naturalism?* Nueva York: Appleton-Century Crofts, 1959.

Strindberg, August. *A Dream Play*. Trad. por C. D. Locock, en *Continental Plays;* ed. Thomas H. Dickenson. Boston: Houghton Mifflin, 1935, vol. II.

Tirso de Molina. *La Dama del Olivar. Obras completas*. Selección de Blanca de los Ríos. Madrid: Aguilar, 1946. Vol. I, pp. 1.027-1.092.

Vanderlip, Eldad Cornelis. «Fate in the Novels of Zola and Couperus: A Comparison with the Greek Concept of Fate». Disertación de doctorado en Filosofía no publicada. Universidad del Sur de California, 1959.

Valle-Inclán, Ramón de. *Los cuernos de don Friolera*. Madrid: Renacimiento, 1925.

— *El embrujado de tierras de Salnes*. Madrid: Perlado, Páez y Compañía, 1913.

— *Farsa y licencia de la reina castiza*. Madrid: Talleres Tipográficos de «Artes de Ilustración», 1922.

Vega Carpio, Lope, Félix de. *Fuenteovejuna.* Buenos Aires: Edit. Huemul, 1963.

— *Peribáñez y el comendador de Ocaña.* Revisado por Adolfo Bonilla y San Martín. Madrid: Ruiz Hermanos, 1916.

Wood, Ledger. «The Free-Will Controversy». *Philosophical Problems.* Selección de Maurice Mandelbaum, *et al.* Nueva York: The Macmillan Company, 1957, 304-313.

ÍNDICE